CW00551813

Aristoteles

Über die Dichtkunst

Aristoteles

Über die Dichtkunst

1. Auflage | ISBN: 978-3-73406-913-0

Erscheinungsort: Frankfurt am Main, Deutschland

Erscheinungsjahr: 2019

Outlook Verlag GmbH, Deutschland.

Reproduktion des Originals.

ÜBER DIE DICHTKUNST

BEIM

ARISTOTELES

NEU ÜBERSETZT UND

MIT EINLEITUNG UND EINEM ERKLÄRENDEN

NAMEN- UND SACHVERZEICHNIS VERSEHEN

VON

ALFRED GUDEMAN

1921

VORWORT

Die Aufforderung des Verlegers der Philosophischen Bibliothek eine Neuauflage der vergriffenen *Ueberwegschen* Übersetzung der aristotelischen Poetik (1869) zu besorgen, traf mich mitten in der Vorbereitung eines exegetischen und kritischen Kommentars des Büchleins und einer ihn begleitenden ausführlichen Abhandlung zu dessen Textgeschichte. Unter normalen Umständen hätte ich Bedenken gehabt, die mir aufgetragene Aufgabe vor der Veröffentlichung jener Arbeiten, die unter anderem die nähere Begründung und Rechtfertigung meines neuen Textes bringen werden, zu übernehmen. Wenn ich dennoch diese Bedenken habe fallen lassen, so geschah dies hauptsächlich aus folgenden Gründen. Jener Übelstand schien insofern nicht allzu schwerwiegend, weil derartige kritische Erörterungen philologische Leser zur notwendigen Voraussetzung haben. Sodann gestatten es die zurzeit herrschenden, jedes Maß überschreitenden Herstellungskosten wissenschaftlicher Werke größeren Umfangs noch nicht, einen Erscheinungstermin für obige Arbeiten auch nur annähernd im voraus zu bestimmen.

Freilich, an dem ursprünglichen Plane einer Neubearbeitung konnte nicht festgehalten werden, denn es stellte sich gar bald heraus, daß eine solche sehr unbefriedigend ausfallen müßte und so entschloß ich mich die *Ueberwegsche* Übertragung durch eine ganz neue zu ersetzen. Jene beruhte nämlich noch auf dem *Bekkerschen* Texte, der im wesentlichen nur die Aldina wiedergab, während der meinige, obwohl durchaus konservativ, selbst von dem *Vahlen*'s (1886) an fast 300 Stellen abweicht, ein Ergebnis, das zum großen Teil der bisher nicht genügend ausgebeuteten syrisch-arabischen Übersetzung zuzuschreiben ist.[1] Sodann hatte sich *Ueberweg*, ebenso wie seine Vorgänger und Nachfolger, nicht eng genug an den Wortlaut des Originals angeschlossen und gab so einen m.E. irreführenden Eindruck von dem eigentümlichen, lehrhaften Charakter der Poetik. Denn sie ist mit ihrer stark elliptischen und wortkargen Ausdrucksweise und ihren oft stichwortartig und aphoristisch hingeworfenen Gedanken und Lehrsätzen, ihrer Entstehungsweise durchaus entsprechend, alles eher als ein Erzeugnis attischer Kunstprosa. Wir haben nämlich in ihr, um kurz zu sagen, was an einem anderen Orte ausführlich nachgewiesen werden soll, nicht ein Exzerpt, sondern nur die Überbleibsel eines Kollegienheftes zu erblicken, das auf aufmerksame und nachprüfende Leser keinerlei Rücksicht zu nehmen brauchte und das oft nur leise Angedeutete der weiteren mündlichen Ausführung überließ. Es kam endlich noch hinzu, daß ich mir an sehr zahlreichen Stellen die Auffassung *Ueberwegs* nicht aneignen konnte. Eine Übersetzung soll aber, zumal die einer technischen und schwierigen Schrift, wenigstens zum Teil einen Kommentar ersetzen. Dementsprechend war ich vor allem bemüht, den auf eine neue Recensio gegründeten Text so wort- und sinngetreu wiederzugeben, wie dies ohne Schädigung des deutschen Ausdrucks nur irgend möglich war. Daß nun der textkritische Anhang *Ueberwegs* in Wegfall kommen mußte, versteht sich von selbst. Dasselbe Schicksal traf aber auch die erklärenden Anmerkungen, die im wesentlichen dazu bestimmt waren, wie der Verfasser selbst angibt, "noch unerledigte Streitfragen ihrer Lösung zuzuführen". Inwieweit sie diesen Zweck erreicht haben, mag hier unerörtert bleiben, in jedem Fall waren auch sie, einige rein sachliche Belege ausgenommen, für den Leser, welchen die "Philosophische Bibliothek" vorzugsweise im Auge hat, von keinem nennenswerten Nutzen. Sollte sich jemand dennoch für diese besonders interessieren so ist ja die alte Ausgabe in Bibliotheken leicht zugänglich. An deren Stelle sind nun erklärende Verzeichnisse der Namen und Sachen getreten, die lediglich das geben sollen, was mir für das unmittelbare Verständnis zweckdienlich schien, wobei von einer Erläuterung oder gar Kritik der aristotelischen Lehren natürlich abgesehen werden mußte, um den mir zu Gebote stehenden Raum nicht zu überschreiten.

Was die ebenfalls neu hinzugekommene Einleitung anbelangt, so bezweckt auch sie nur eine vorläufige Orientierung. Für die ausführlicheren Darlegungen aller darin kurz behandelten Fragen muß ich wiederum auf die obenerwähnten Arbeiten verweisen, in der Hoffnung daß deren Erscheinen dennoch in absehbarer Zeit ermöglicht wird.

Meinem Mitleser, Herrn Professor E. Wüst (München), bin ich für seine wertvolle Hilfe zu besonderem Dank verpflichtet.

München, Juli 1920.

Alfred Gudeman.

EINLEITUNG

---

1. Die Bedeutung der Poetik.

Es gibt kein Werk gleich geringen Umfangs, das sich auch nur entfernt mit dem Einfluß messen kann, den die aristotelische Poetik Jahrhunderte lang ausgeübt hat. Freilich werden wir heute nicht mehr, wie einst *Lessing*, deren Lehren für ebenso unfehlbar halten wie die Elemente des *Euklid*. Im Gegenteil, man wird ohne weiteres zugeben müssen, daß für die Dramatiker der Gegenwart—das Epos kommt nicht in Betracht da es ganz in dem Roman aufgegangen ist—*Aristoteles* als literarischer Gesetzgeber ein völlig überwundener Standpunkt ist.

Andrerseits ist es aber nicht minder wahr, daß auch heute noch niemand der Kenntnis der Poetik schadlos entraten kann, der auch nur oberflächlich sich mit den Literaturen, namentlich Italiens, Frankreichs und Englands vom 16. bis etwa zur Mitte des 18. Jahrh., beschäftigen will. Und ebensowenig darf der Ästhetiker, der literarische Kritiker oder Literarhistoriker an diesem Büchlein achtlos vorübergehen, sollen seine rein theoretischen Darlegungen über viele in das Gebiet der Dichtkunst einschlägige Probleme nicht von vornherein einer wichtigen Grundlage entbehren. Was vollends dem klassischen Philologen die Poetik des Aristoteles ist und stets sein wird, bedarf keines weiteren Wortes.

2. Die Poetik im Altertum.

Unter diesen Umständen mag es auf den ersten Blick sehr befremden, daß sich im Altertum selbst bisher keine sicheren Spuren einer aus erster Hand geschöpften Kenntnis, geschweige denn eines Einflusses der aristotelischen Poetik haben nachweisen lassen. Dagegen spricht auch nicht eine Anzahl direkter Zitate bei späten Erklärern des *Aristoteles*, zumal man nicht einmal ohne weiteres annehmen darf, daß jene Stellen nicht einfach den von ihnen ausgeschriebenen, älteren Quellen entlehnt sind.

Zur Erklärung dieser bemerkenswerten Tatsache mag vielleicht folgendes dienen. Zunächst scheint unsere Poetik überhaupt zuerst von *Andronikos* v. Rhodos, einem Zeitgenossen *Ciceros*, zusammen mit anderen Werken des *Aristoteles* in Rom herausgegeben worden zu sein. *Horaz*, bzw. sein viel älterer Gewährsmann, *Neoptolemos* v. Parion (c. 260 v. Chr.), zeigt trotz mancher sachlichen Übereinstimmungen keine direkte Benutzung der Schrift und dasselbe gilt von einem uns nur in Bruchstücken erhaltenen, umfangreichen Werke "Über die Dichtungen", dessen Verfasser *Philodemos* v. Gadara zum Freundeskreise des Horaz gehörte. Sodann brachten die Griechen der römischen Kaiserzeit der Poesie überhaupt nicht das geringste Interesse entgegen. Ist uns doch aus dieser ganzen Epoche keine einzige Tragödie auch nur dem Titel nach bekannt. An die Stelle der Komödie waren der dramatische, aber literarisch wertlose Mimus und der Pantomimus getreten und die wenigen uns meist erhaltenen Epen, wie die des Oppian, *Quintus Smyrnaeus, Claudian, Kolluthos, Triphiodor*, ja selbst des *Nonnos*, stammen aus sehr später Zeit und kommen als echte Kunstwerke überhaupt nicht in Betracht, wie sie denn auch von den Lehren des *Aristoteles* keinen Hauch verspüren lassen. Es darf daher nicht Wunder nehmen, daß eine wissenschaftliche Technik des Dramas und des Epos, wie unsere Poetik, keinerlei Beachtung fand oder finden konnte. Diese der Dichtkunst allenthalben entgegengebrachte Gleichgültigkeit wird es wohl auch zum Teil verschuldet haben, daß zahlreiche andere literargeschichtliche Werke des Aristoteles ganz verloren gingen. So vor allem die "Didaskalien", eine vollständige Liste aller in Athen aufgeführten Dramen, der reichhaltige Dialog "Über die Dichter" in 3 B., von dem uns noch einige Bruchstücke mannigfachen Inhalts erhalten sind, und die "Pragmateia (Untersuchung der Dichtkunst", in 2 B. In dieser wird Aristoteles das, was in dem unvollständig auf uns gekommenen Kollegienheft skizzenhaft entworfen oder zwecks weiterer mündlicher Ausführung nur angedeutet war, erschöpfend, wie wir es bei ihm gewohnt sind, behandelt haben. Unsere Poetik verdankt ihre Erhaltung wohl nur dem glücklichen Umstand, daß sie als Anhängsel der Rhetorik oder der Logik, die als Schulfächer sich stets eifriger Pflege erfreuten, betrachtet und so mit diesen Schriften vereint überliefert wurde.

---

3. Textgeschichte.

Die nachweisbar älteste Handschrift war ein in Unzialen ohne Worttrennung oder Interpunktion geschriebener mit zahlreichen Randbemerkungen versehener und spätestens dem 5./6. Jahrh. angehöriger Kodex, dem der Schluß der Poetik aber ebenfalls bereits abhanden gekommen war. Im 9. Jahrh. wurde er von einem Nestorianischen Mönch wörtlich ins Syrische übersetzt. Diese Übertragung bildete ihrerseits die Vorlage für die arabische Übersetzung des *Abu Bishar Matta* (990—1037), die in einer arg ververstümmelten und lückenhaften Pariser Hs des 11. Jahrh. erhalten ist. Aufs dem arabischen Text beruhte die jämmerlich verkürzte, zum Teil sinnlose Paraphrase des berühmten arabischen Gelehrten *Averröes* (1126 bis 1198), denn die orientalischen Übersetzer standen dem Inhalt der Poetik mit der denkbar tiefsten Verständnislosigkeit gegenüber. Eine genaue Untersuchung hat aber den unwiderleglichen Beweis erbracht, daß jene alte, griechische Hs einen weit vorzüglicheren Text darbot als die älteste uns erhaltene Hs, der Parisinus 1741 aus dem 10. Jahrh. und daß die bisher fast allgemein geltende Ansicht, dieser sei der Stammvater aller späteren, übrigens sehr zahlreichen Hss, den Tatsachen nicht entspricht.

---

4. Die Poetik in der Neuzeit.

Es ist ein seltsames Zusammentreffen, daß gerade um die Zeit, da die
Hegemonie des *Philosophen Aristoteles*, der die Gedankenwelt des
Mittelalters beherrscht hatte, sich ihrem Ende zuneigte, seine Poetik aus
langer Vergessenheit im Abendlande wieder auftauchte und er nun alsbald als
literarischer Diktator, gleichsam als Ersatz für das verlorene Reich, einen
erneuten Siegeslauf antrat. Die Poetik erschien zuerst in einer wörtlichen
lateinischen Übersetzung des *Georgius Valla* (1498), die editio princeps des
Originals zehn Jahre später in einer Aldina. Den ersten Kommentar lieferte F.
Robortelli (Florenz 1548), dem innerhalb zwei Dezennien drei weitere
gelehrte und umfangreiche Kommentare folgten: *Madius* (Venedig 1550), P.
Victorius (Florenz 1560) und *Castelvetro* (Wien 1570). Bis etwa zur Wende
des 18. Jahrh. waren bereits mehr als 100 Ausgaben und Übersetzungen
erschienen—die Poetik wurde öfter als irgendein anderes Werk griechischer
Prosa herausgegeben,—doch ist im wesentlichen, weder in der Textkritik
noch in der Erklärung, ein nennenswerter Fortschritt über die genannten
Leistungen zu verzeichnen. Ein solcher trat erst mit den Arbeiten zweier
Engländer, *Twining* (1789) und *Tyrwhitt* (1794) ein, während *Lessing* etwas
früher in der Hamburgischen Dramaturgie (1767/8) das Studium der Poetik in
Deutschland zu neuem Leben erweckte. Die erste deutsche Übersetzung von
Curtius (1755) war nämlich als solche sehr kläglich ausgefallen und die ihr
beigegebenen Abhandlungen waren ganz von *Dacier* (1692) abhängig und in
Gottschedschem Geiste geschrieben Sie hat aber insofern ein gewisses
historisches Interesse, weil sowohl *Goethe* wie *Schiller* die aristotelische
Schrift aus ihr kennen lernte. Eine neue Epoche sowohl für die Textkritik wie
für die Erklärung begann dann erst wieder mit *Vahlen*, der zuerst konsequent
die Recensio auf die älteste Hs, den Parisinus 1741 (A^c), aufbaute und in
seinen "Beiträgen zu *Aristoteles* Poetik" ("Wien 1865/6), einer der
hervorragendsten hermeneutischen Leistungen unserer Wissenschaft, das
Verständnis der Poetik mächtig förderte. Mehr negativ von Bedeutung war
sodann die glänzende Abhandlung von *J. Bernays* (1857) über die Katharsis
da sie der Ausgangspunkt einer gewaltigen Kontroverse wurde, die bis auf
den heutigen Tag noch nicht zur Ruhe gekommen ist.

Etwa gleichzeitig mit jenen vier großen italienischen Kommentatoren des 16.
Jahrh. begann die literarische Kritik sich mit den Lehren der Schrift zu
beschäftigen, wobei der Einfluß des *Castelvetro* besonders verhängnisvoll

werden sollte, denn das berühmte Gesetz der "Drei Einheiten," der Handlung, der Zeit und des Ortes, von denen *Aristoteles* einzig und allein die erste kennt und fordert, beruht auf einem Mißverständnis des *Castelvetro.* Sogenannte "Poetiken" sprangen vom 16. Jahrh. wie Pilze aus dein Boden. Samt und sonders nehmen sie zu den wirklichen, leider zu oft auch zu den vermeintlichen Lehren des *Aristoteles* Stellung und gar bald versuchten epische und dramatische Dichter, zuerst in Italien, dann in Frankreich jene Lehren praktisch zu verwerten. Unter den Kritikern und Verfassern von Lehrbüchern der Dichtkunst des 16. Jahrh. seien hier nur die einflussreichsten genannt, was aber keineswegs immer besondere Originalität oder Selbständigkeit voraussetzt: *Minturno*, De poeta (1559), *J.C. Scaliger*, Poetices libri VII (1561),[3] *Sir Philip Sidney*, Defense of Poesy (c. 1583, gedruckt 1595), *Patrizzi*, Della Poetica (1586), ein fanatischer Gegner des *Aristoteles* und seiner Poetik. Von Dichtern, die unter dem Einfluß des *Aristoteles* standen und in eigenen Abhandlungen oder auch in Einleitungen zu ihren Werken sich mit ihm auseinandersetzten, seien erwähnt: *Trissino*, dessen "Sophonisba" als die erste italienische Tragödie gilt (1555), *Fracastoro*, Naugerius sive de Poetica dialogus (1555), *T. Tasso*, Discorsi dell' Arte Poetica (1586), *Jean de la Taille*, Préface zu Saul (1572). Dieser und die früheren französischen Kritiker überhaupt wie *Jodelle*, der Verfasser der ersten französischen Tragödie, Cleopâtre (1552), *Vauquelin de la Fresnaye*, Art poetique (begonnen 1574, gedruckt 1605), *Ronsard* und die anderen Mitglieder der Pléiade, sie alle beschäftigten sich mehr oder weniger eingehend mit den aristotelischen Lehrsätzen, aber sie verdankten deren Kenntnis, wie es scheint, meist nicht dem Original, sondern den Arbeiten ihrer italienischen Vorgänger. Dies änderte sich erst im 17. Jahrh., als der heftige Streit um die "Regeln" in den Mittelpunkt des literarischen Interesses trat. *Mairet*, der die erste "regelrechte" Tragödie, "Sophonisbe", (1629) verfaßte, kannte die Poetik aus erster Hand, wie er selbst in der Vorrede zu "Silvanire" (1626) bezeugt, und dies gilt natürlich auch von den Führern in der Cid-Kontroverse (1636—1640), wie *Chapelain* und *Hedelin d'Aubignac*. *Corneille* selbst aber scheint sie erst am Ende seiner dramatischen Laufbahn aus erster Hand kennen gelernt zu haben, obwohl er in einigen früheren Vorreden zu seinen Dramen wiederholt auf *Aristoteles* Bezug nimmt. In seinen drei "Discours" macht er sodann den freilich vergeblichen Versuch nachzuweisen, daß seine Tragödien den Lehren der Poetik allenthalben entsprechen.

Engländern wurde die Poetik durch die Italiener und Franzosen vermittelt, doch spielte sie bei ihnen nie eine so große Rolle, und auch diese beschränkte sich fast ausschließlich auf jene drei "Einheiten." Daß *Shakespeare* diese kannte, geht aus der Ansprache an die Schauspieler im Hamlet, den Prologen zu Heinrich V. und dem "Chorus" der Zeit im Wintermärchen (IV$_1$) hervor. Da er sich sonst ihnen gegenüber noch weit gleichgültiger verhält als seine dramatischen Zeitgenossen (ein *Marlow, Jonson, Greene, Beaumont* und *Fletcher*), so möchte ich doch hier nicht unterlassen, wenigstens auf eine interessante Tatsache hinzuweisen, weil sie bisher m.W. nicht beobachtet worden ist. Die beiden letzten [4] Dramen aus seiner Feder sind das "Wintermärchen" und der "Sturm." Während nun in dem ersteren die "Einheiten" weit gröblicher verletzt werden als in irgend einem anderen Stücke, hat er diese im "Sturm" und in ihm allein so streng wie nur irgend möglich durchgeführt. Sollte er damit haben zeigen wollen, daß für den wahren Dramatiker die Einhaltung oder die Vernachlässigung der Regeln," soweit die Wirkung in Betracht kommt, gleichgültig ist? Um die Mitte des 17. Jahrh. haben dann *Milton*, in der Einleitung zu seiner Tragödie "Samson Agonistes" (1671), und insbesondere *Dryden*, namentlich in seinem "Essay über dramatische Poesie" (1668), der aristotelischen Poetik ein besonderes Interesse zugewandt, letzterer allerdings ganz unter dem Einfluß von *Corneille Rapin, de Bossu* und *Boileau*.

Die Beschäftigung mit unserer Poetik in Deutschland beginnt, wie erwähnt, mit *Lessing. Goethe* und durch ihn veranlaßt auch Schiller (nach 1797) haben sich lebhaft mit ihr befaßt. In ihrem Gedankenaustausch über die Schrift spiegelt sich die Eigenart der beiden Dichterfürsten in charakteristischer Weise wieder, doch hat man die Empfindung, daß in diesem Briefwechsel *Schiller* durchaus der Gebende ist. Noch wenige Jahre (1826) vor seinem Tode ist *Goethe* in seiner ganz kurzen "Nachlese zur Poetik" nochmals auf den Gegenstand zurückgekommen, worin er, wohl durch seine künstlerische Weltanschauung verleitet, eine ganz falsche Übersetzung des Schlusses der Tragödiendefinition gibt.

Im 19. Jahrh. ist es, von der mächtigen Wirkung der bereits erwähnten Abhandlung von *Bernays* abgesehen, vor allem die Ästhetik, die sich allenthalben mit unserer Poetik auseinandersetzt, so *E. Müller, Vischer, Volkelt, Günther, Walter, W. Dilthey, Lippe, Bosanquet, Nietzsche, Baumgart* und *Carrière*, um nur diese zu nennen. In den Hauptfragen wie über den Ursprung der Poesie, den Begriff des Kunstschönen, den Endzweck der Dichtung, sind manche dieser Forscher zwar zu neuen und eigenartigen aber im großen und ganzen keineswegs einwandfreieren oder sichereren Ergebnissen gelangt, als sie schon in den kurzen, fast ohne Begründung hingeworfenen Lehrsätzen des *Aristoteles* uns vorliegen.

5. Die Quellen der Poetik.

Originalität ist ein rein relativer Begriff, ja in einem gewissen Sinne gibt es eine solche überhaupt nicht, ist doch jeder Denker ein Erbe der Vergangenheit[5] und irgendwie von Vorgängern, wenn nicht direkt abhängig, so doch, und zwar oft unbewußt, beeinflußt. Andrerseits steckt nicht minder häufig in der Art, wie ein Forscher den ihm vorliegenden Stoff verarbeitet, in der Beleuchtung, in die er ihn rückt, in dem Zusammenhang in den er ihn einreiht oder, falls er sich mit ihm im Widerspruch befindet, in der Begründung seines entgegengesetzten Standpunkts ein ebenso hoher Grad von Selbständigkeit und Originalität als in dem ganz Neuen, das er im übrigen bringen mag. So ist denn zweifellos auch die Poetik des *Aristoteles* nicht wie Athene in voller Rüstung aus dem Haupte des Zeus entsprungen, auch er hat, und zwar nachweisbar, eine umfangreiche Literatur über seinen Gegenstand, vor allem in den Schriften der *Sophisten,* schon vorgefunden und so weit zweckdienlich verwertet oder auch zu widerlegen sich veranlaßt gefühlt. Gegen das Verdammungsurteil, das *Platon* gegen das Epos und Drama geschleudert hat, bildet die Poetik als Ganzes gleichsam einen stillschweigenden Protest, der in einer Anzahl Stellen sogar deutlich und greifbar hervortritt, obwohl er den Namen seines Lehrers niemals nennt. Daß einzelne Gedankengänge *Platons* über die Dichtkunst auf *Aristoteles* eingewirkt, seinen Theorien eine gewisse Richtung gegeben und ihn bewogen haben zu ihm seinerseits Stellung zu nehmen, ist fast selbstverständlich und allgemein anerkannt.

Wenn aber neuerdings in einem geistvollen und formvollendeten Buche,[6] das sich nicht nur an fachkundige Leser wendet, der Versuch gemacht worden ist, dem Verfasser der Poetik jede Originalität abzusprechen und sie zu einem bloßen Echo platonischer Gedanken herabzusetzen, so muß gegen diese tendenziöse Entstellung des wirklichen Tatbestandes der schärfste Einspruch erhoben werden. Die Widerlegung dieser Verirrung eines sonst trefflichen Gelehrten im Einzelnen kann hier nicht unternommen werden, ich muß mich damit bescheiden, auf einige wenige Punkte aufmerksam zu machen, die aber allein schon genügen dürften, die angewandte Beweisführung in ein grelles Licht zu setzen und den Versuch selbst ad absurdum zu führen. Angesichts seiner unten[5b] zitierten, durch nichts gemilderten Behauptungen ist die Beobachtung geradezu verblüffend, daß diese sich, soweit das Verhältnis des *Aristoteles* zu *Platon* überhaupt in Frage kommen könnte, so gut wie ausschließlich auf eine Anzahl Lehrsätze und Gedanken der ersten sechs Kapitel beschränken! Sodann ist zu bemerken, daß *Platon* sich zwar mehr oder minder ausführlich über Zweck, Wirkung, Charakter und Ursprung der Dichtung ausgesprochen hat, daß aber von einer Technik der Dichtkunst— und das ist doch wohl unsere Poetik—sich schlechterdings nichts findet, was dem *Aristoteles* als Grundlage oder Quelle der Erkenntnis hätte dienen können. Selbst die platonische Auffassung der nachahmenden Tätigkeit des Künstlers (Mimesis) weicht durch ihre Verknüpfung mit der Ideenlehre von der des *Aristoteles* sehr erheblich ab. Und dasselbe gilt von einer großen Anzahl gelegentlicher Äußerungen, wie über die furcht- und mitleiderregende Wirkung der Tragödie, über den Unterschied zwischen dem Drama und dem Epos, über die der Dichtung zugrundeliegenden Ursachen und über den Dithyrambus als nicht mimetische Darstellung. Und selbst bei diesen Fragen ergibt oft die Art der Betrachtung, daß *Platon* sie nicht zuerst aufgeworfen, sondern zu anderweitig bereits erörterten literarischen Problemen seinerseits, sei es zustimmend, sei es ablehnend, Stellung nimmt. Mit welchen Gewaltmitteln die Abhängigkeit des *Aristoteles* von *Platon* glaubhaft gemacht werden soll, dafür sei wenigstens ein besonders krasses Beispiel angeführt. Mit der dem *Aristoteles* eigenen analytischen Schärfe werden die Unterschiede In der nachahmenden Darstellung aller musischen Künste festgestellt, nämlich in den Mitteln, den Gegenständen und der Art und Weise (c. 1), eine Einteilung, die sich auch für die sechs Teile einer kunstgerechten Tragödie bewährt (c. 6). Diese tief durchdachte Unterscheidung soll nun nicht nur sachlich, sondern sogar im Wortlaut dem *Platon* entnommen sein. In der Rep. III 392^c schließt nämlich *Sokrates* eine längere Erörterung darüber, daß in seinem Idealstaate nur Spezialisten als Lehrer Zulaß haben sollten, mit folgenden Worten: "Wir sind nun, was die musische Bildung anbelangt, völlig zu Ende gekommen und haben angegeben, was ausgesprochen werden soll und wie." Inhaltlich haben, wie man sieht, diese Worte, wie auch der ganze Zusammenhang mit der aristotelischen Betrachtung auch nicht das mindeste gemein und auch abgesehen davon, fehlt noch fatalerweise das dritte Glied— die Mittel! Aber durch solche Kleinigkeiten läßt sich *Finsler* seine Kreise nicht stören. *Aristoteles* wird wiederholt beschuldigt auch die einfachsten Redewendungen, wo der Gedanke sich griechisch kaum anders hätte ausdrücken lassen, dem *Platon* entlehnt zu haben. So z.B. daß die Dichter Handelnde nachahmen (Rep. 10, 603°), obwohl gerade dieser Gedanke gar nicht einmal platonischen Ursprungs sein dürfte, denn *Aristoteles* sagt ausdrücklich, daß bei der Ableitung des Wortes "Drama", von der bei *Platon* nirgends die Rede ist, "einige" auf eben jene Tatsache sich berufen hätten.

Die Behauptung einer durchgängigen, fast sklavischen Abhängigkeit des *Aristoteles* von *Platon* hält demnach vor einer unbefangenen und vorurteilslosen Prüfung nicht Stand. Ein Einfluß des Lehrers auf seinen Schüler in dem oben angedeuteten Sinne soll darum keineswegs in Abrede gestellt werden, aber soweit die uns vorliegenden Lehren der Poetik in Betracht kommen, hätte ihr Verfasser keinerlei Veranlassung gehabt, einem "Pereant qui ante nos nostra dixerunt" Ausdruck zu geben.

Während uns *Platons* Werke vollständig zum Vergleich vorliegen, sind die sonstigen Vorgänger des *Aristoteles* gänzlich verschollen und selbst Schriften wie die eines *Demokrites* "Über die Dichtung" und "Über Rhythmen und Harmonie" oder des Sophisten *Hippias* "Über Musik" und "Über Rhythmen und Harmonien", die auf ähnliche Erörterungen allenfalls schließen ließen, sind für uns nur leere Titel. Daß aber eine reiche fachmännische Literatur, die, wie gesagt hauptsächlich aus sophistischen Kreisen stammte, dem *Aristoteles* zur Verfügung stand, beweisen allein die Frösche des *Aristophanes* (405), die bereits eine staunenswerte, allgemeine Kenntnis über die Technik des Dramas von Seiten des athenischen Theaterpublikums zur notwendigen Voraussetzung haben.

Glücklicherweise gibt unsere Poetik selbst uns noch wertvolle Andeutungen über frühere Schriftsteller auf diesem Gebiete, denn an nicht weniger als 12 bezw. 13 Stellen beruft sich *Aristoteles* ausdrücklich auf Vorgänger und zwar fünfmal mit Namennennung (*Protagoras*, *Hippias* von Thasos, *Eukleides*, *Glaukon* und *Ariphrades*). Bei vier von diesen handelt es sich meist um Einzelheiten in betreff des Versbaues und des Sprachgebrauchs, bei *Glaukon* dagegen um eine von ihm unter Zustimmung des Verfassers gegeißelte falsche Methode zahlreicher, literarischer Kritiker, die für uns zwar namenlos sind, deren Existenz aber eben durch jenen Ausfall erwiesen wird. Wichtiger für die Quellenfrage sind die übrigen Stellen, aus denen man seltsamerweise bisher nicht die Konsequenzen gezogen hat, sondern sich damit begnügte, sie als gleichsam isolierte Äußerungen zu betrachten, die *Aristoteles* nur erwähnt, um sie abzuweisen. Mit dem Motiv mag es seine Richtigkeit haben, entspricht es doch durchaus der antiken Zitiermethode, auf einen Vorgänger nur dann anzuspielen, und zwar meist unter dem Deckmantel des Plurals ("einige behaupten, man sagt" u.ä.), wenn man ihn bekämpfen oder widerlegen will. Sobald wir uns aber die Umgebung, in der die betreffenden Stellen[7] stehen, genauer ansehen, ergibt sich sofort daß es sich unmöglich nur um gelegentliche Urteile handelte, sondern daß diese nur in ausführlichen Untersuchungen über alle in unmittelbarem Zusammenhang stehenden Fragen abgegeben sein konnten. Die Namen der Verfasser, wie die Titel ihrer Werke, sind wie gesagt, sämtlich verloren, es sei denn, daß wir in dem Bericht über die Ansprüche der Dorer auf die Erfindung der Komödie (c. 3) mit großer Wahrscheinlichkeit die Chronica des *Dieuchidas* von Megara, eines älteren Zeitgenossen des *Aristoteles*, vermuten können.

Auch in anderen Partien der Poetik werden wir literarische Vermittler voraussetzen müssen. So insbesondere über die Entwicklungsgeschichte des Dramas (c. 4). Ja, in einer Kleinigkeit den kyprischen Dialekt betreffend (c. 21, 3), dessen Kenntnis man doch nicht ohne weiteres dem *Aristoteles* wird zutrauen wollen, dürfte vielleicht der einmal als Verfasser kyprischer Glossen zitierte *Glaukon* aus bisher unbestimmter Zeit sein Gewährsmann gewesen sein, falls nicht etwa eine Reminiscenz aus *Herodot* (5, 9) vorliegt. Ein ähnliches, kretisches Glossarium wird auch wohl die Quelle für c. 25, 10 gewesen sein. Und so mag *Aristoteles* noch mehr Einzelheiten, auch der Theorie und Technik der Dichtkunst, seinen Vorgängern verdanken als wir jetzt nachweisen oder vermuten können.

Aber so mannigfach auch immer diese Anregungen gewesen sein mögen und so viel positives Wissen *Aristoteles* von früheren Forschern übernommen haben mag, so trägt dennoch selbst unser unvollständiges Kollegienheft allenthalben den echten Stempel seines Geistes unverkennbar an der Stirn. Es enthält aber überdies so zahlreiche geistreiche Gedanken und Lehrsätze von ewiger Gültigkeit, daß wir die Poetik auch fernerhin als ein Meisterwerk auf diesem Gebiete und als ein köstliches Vermächtnis eines der größten Geistesheroen der Menschheit werden einschätzen dürfen.

ARISTOTELES

ÜBER DIE DICHTKUNST

KAPITEL I

1. "Wir wollen reden über die Dichtkunst, sowohl an (1447a) sich, wie über ihre Arten, deren Wesen im einzelnen und wie die dichterischen Stoffe gestaltet werden müssen, wenn anders die Dichtung kunstvoll sein soll? ferner über Zahl und Beschaffenheit der Teile eines Dichtwerks und desgleichen, was sonst noch in dasselbe Untersuchungsgebiet fallen mag. Und zwar gehen wir, wie dies naturgemäß, von dem ersten zuerst aus.

2. Das Epos also und die Dichtung der Tragödie, ferner die Komödie, die dithyrambische Poesie und der größte Teil der Auletik und Kitharistik, sie alle sind in ihrer Gesamtheit *nachahmende Darstellungen* (Mimesis).

3. Es besteht aber unter ihnen ein dreifacher Unterschied, nämlich in bezug auf die verschiedenen *Mittel*, die verschiedenen *Gegenstände* und die verschiedene *Art* der Darstellung und zwar nicht in gleicher Weise.

4. Wie nämlich manche sowohl mit Farben als auch mit Figuren, sei es auf Grund künstlerischer Begabung, sei es infolge einer durch Übung erlangten Geschicklichkeit andere dagegen mit der Stimme vieles nachbildend nachahmen, so wird auch in den erwähnten Künsten insgesamt die Nachahmung vermittelst des *Rhythmus*, der *Rede* und der *Harmonie* bewerkstelligt und zwar gesondert oder miteinander vermischt *Harmonie und Rhythmus allein* wenden beispielsweise die Auletik und Kitharistik an und was es sonst noch an Künsten derselben Art geben mag, wie z.b. die Kunst der Syrinx (Hirtenpfeife); allein mit *Rhythmus ohne Harmonie*, die Kunst der Tänzer, denn diese ahmen mittelst rhythmischer Körperbewegungen Charaktereigenschaften, Gemütsstimmungen und Handlungen nach.

5. *Die Kunstform aber, die sich bloß der Rede bedient*, sei es der ungebundenen, sei es der metrischen und, falls der letzteren, entweder mehrere Versmaße miteinander verbindet oder nur *eine* Versgattung (1447b) anwendet, *hat bis jetzt keinen Namen*. Denn wir wüßten keine gemeinsame Bezeichnung anzugeben für die Mimen eines *Sophron* und *Xenarchos* und die *Sokratischen Gespräche* einerseits, noch andrerseits für eine nachahmende Darstellung in (jambischen) Trimetern oder im elegischen Distichon oder in irgend welchen anderen Versmaßen dieser Art. Allerdings knüpft man gewöhnlich an die betreffende Versbezeichnung das Wort "dichten" und nennt so die einen Elegiendichter, andere epische Dichter, indem man sie nicht auf Grund der nachahmenden Darstellung zu Dichtern stempelt, sondern des gemeinsamen Metrums wegen. Ja, man pflegt sogar denjenigen so zu nennen, der irgend etwas aus der Medizin oder der Naturwissenschaft in Versen darstellt und doch haben *Homer* und *Empedokles* nichts miteinander gemein als das Metrum, so daß man zwar jenen mit Eecht einen Dichter nennt, diesen aber vielmehr als einen Naturforscher bezeichnen sollte. In ähnlicher Weise käme auch dem der Dichtername zu, der in seiner nachahmenden Darstellung allerlei Versmaße verwendet, wie dies *Chairemon* in seinem Epyllion "Der Kentaur", in dem die verschiedenartigsten Versmaße vorkommen getan hat. So mag also das Urteil über diese Dinge lauten.

6. Nun gibt es *einige Künste, die sich aller genannten Darstellungsmittel bedienen*, ich meine nämlich des Rhythmus, der gesungenen Rede und des Metrums, wie z.B. die *Dithyramben-und Nomendichtung*, die *Tragödie* sowohl wie die *Komödie*. Sie unterscheiden sich aber wiederum darin, daß die beiden ersteren diese Mittel durchgängig diese aber nur an bestimmten Teilen anwenden. Dies sind also die Unterschiede der Künste nach ihren Darstellungsmitteln.

15

KAPITEL II

1. Da nun die Nachahmenden *Handelnde nachahmen* (1448a) so folgt daraus mit Notwendigkeit, daß diese entweder tugend- oder lasterhaft sind, denn allein auf diese Gegensätze laufen doch wohl stets unsere sittlichen Eigenschaften hinaus, indem sich alle in bezug auf ihren Charakter durch Laster und Tugend unterscheiden

2. Dementsprechend ahmen die Dichter Handelnde nach, die entweder besser als wir Durchschnittsmenschen sind oder schlechter oder auch diesen ähnlich Dasselbe finden wir bei den Malern, denn *Polygnot* pflegte bessere, *Pauson* schlechtere und *Dionysios* der Wirklichkeit entsprechende Menschen nachzubilden.

c. 2, 3. Arten und Unterschiede der Dichtung.

3. Fernerhin ist es klar, daß auch eine jede der erwähnten nachahmenden Darstellungen eben diese Unterschiede aufweisen wird, insofern aber eine verschiedene sein wird, als sie verschiedene *Objekte* nachahmt. Denn auch beim Tanze, dem Spiel der Flöte und Guitarre können diese Unähnlichkeiten auftreten und nicht minder in der prosaischen und rein metrischen Darstellung So hat z.B. *Homer* bessere Charaktere, *Klēophon* uns ähnliche, *Hegēmon* der Thasier aber, der erste Parodiendichter und *Nikochares*, der Verfasser der "Deliade", schlechtere nachgeahmt. In ähnlicher Weise können bei den Dithyramben und Nomen diese Verschiedenheiten eintreten. Man könnte nämlich nachahmend darstellen, wie *Argas* ... oder wie *Timotheos* und *Philoxenos* den Kyklopen dargestellt haben. Und eben darin besteht auch ein Unterschied zwischen der Tragödie und Komödie, denn diese will schlechtere Charaktere nachahmend darstellen, jene dagegen bessere als sie heutzutage sind.

KAPITEL III

1. Zu den (im obigen behandelten) Darstellungsunterschieden gesellt sich nun als *dritter, die Art und Weise*, in der man die einzelnen Gegenstände nachahmen könnte. Man kann nämlich mit denselben Darstellungsmitteln dieselben Gegenstände darstellen, dabei aber einerseits *erzählen*—und zwar entweder, wie *Homer* dies tut, in der Person eines anderen oder aber in eigner Person ohne sich zu ändern—andrerseits so, daß man alle nachahmend dargestellten Personen als *handelnd* und in Tätigkeit vorführt. Diese drei also sind die Unterschiede, in denen sich die nachahmende Darstellung, wie wir zu

16

Anfang bemerkt haben, vollzieht, nämlich in den Mitteln, den Gegenständen und der Art und Weise.

2. Darnach wäre also nach der einen Seite *Sophokles* derselbe nachahmende Darsteller wie *Homer*, denn beide ahmen edle Personen nach, in anderer Hinsicht aber stünde er auf derselben Stufe wie *Aristophanes* da beide handelnde und dramatisch tätige Personen nachahmen.

3. Daher behaupten auch einige, daß diese Werke "Dramen" genannt werden, weil sie handelnde Personen (*drōntas*) nachahmen.

4. Deshalb machen auch die *Dorier* Anspruch auf die Tragödie und Komödie. Die Komödie wollen die *Megarer* erfunden haben, sowohl die hier im Mutterlande und zwar zur Zeit als bei ihnen die Demokratie aufkam, als auch die von Sizilien, denn von dort stamme *Epicharmos*, der bei weitem älter gewesen sei als *Chionides* und *Magnes*. Auch führen sie die Namen als Beweis ins Feld. Bei ihnen nämlich, sagen sie, würden umherliegende Ortschaften "*kōmai*" (Dörfer), bei den Athenern aber "*dēmoi*" genannt und sie fügen hinzu, daß "Komödiant" nicht etwa von "*kōmázein*" (umherschwärmen) abgeleitet sei, sondern von deren Wanderung durch die *kōmai*, weil sie in der Stadt in (1448b) keiner Achtung standen. [Ferner behaupten sie, daß sie selbst für "handeln" "*drān*" gebrauchen, die Athener aber "*práttein*"]. Auf die Erfindung der Tragödie erheben einige im Peloponnes Anspruch ‹….› Über die Unterschiede einer nachahmenden Darstellung, deren Zahl und Art, möge also dies gesagt sein.

KAPITEL IV

c. 4, 1. Ursprung der Dichtung.

1. Im allgemeinen scheinen es etwa *zwei und zwar in der menschlichen Natur begründete Ursachen gewesen zu sein, die die Dichtkunst hervorgebracht haben.* Denn das *Nachahmen* ist dem Menschen von Kindheit an eingepflanzt, unterscheidet er sich doch dadurch von allen anderen lebenden Wesen, daß er das am eifrigsten der Nachahmung beflissene Wesen ist, und daß er seine ersten Kenntnisse vermittelst der Nachahmung sich erwirbt. Auch die Freude aller an nachahmenden Darstellungen ist für ihn charakteristisch. Ein Beweis dafür ist, was uns bei Kunstwerken tatsächlich begegnet. Denn von denselben Gegenständen, die wir mit Unlust betrachten, sehen. wir besonders sorgfältig angefertigte Abbildungen mit "Wohlgefallen an, wie z.B. die Formen von ganz widerwärtigen Tieren und selbst von

Leichnamen Der Grund dafür ist, daß das Lernen nicht nur für Philosophen ein Hochgenuß ist, sondern ebenso für alle anderen, wenn auch diese nur auf kurze Zeit an dieser Freude teilnehmen.

2. Man betrachtet aber Bilder deshalb mit Vergnügen, weil bei ihrem Anblick ein Lernen, d.h. ein Schluß sich ergibt, was ein jegliches Bild vorstellt, nämlich daß dieser so und so sei. Hat man aber zufällig den betreffenden Gegenstand nicht früher schon gesehen so ist es nicht die nachahmende Darstellung als solche, die unsere Lustempfindung erregt, sondern es geschieht dies wegen der technischen Ausführung oder wegen des Kolorits oder aus irgend einem anderen ähnlichen Grunde.

3. Da uns nun der Nachahmungstrieb von Natur eigen ist und dasselbe gilt von dem *Gefühl für Harmonie und Rhythmus*—denn daß das Metrum nur ein Teil des Rhythmus ist, leuchtet ein—so haben die Menschen, da sie von Haus aus dafür begabt waren und diese Eigenschaften allmählich besonders vervollkommneten, aus *Stegreifversuchen* die Dichtkunst ins Leben gerufen.

c. 4, 8. Geschichtliche Entwicklung.

4. *Es spaltete sich aber die Dichtung nach der den Dichtern eigentümlichen Sinnesart*, denn die edler veranlagten ahmten sittlich gute Taten und Handlungen solcher Personen nach, die von niedriger Gesinnung aber die Handlungen schlechter Menschen, indem sie zuerst Spottlieder dichteten, wie die anderen Hymnen und Loblieder. Von den vorhomerischen Dichtern können wir freilich kein derartiges Spottgedicht namhaft machen, aber es ist wahrscheinlich daß es viele Dichter dieser Art gegeben hat. Beginnend mit *Homer* aber, haben wir gleich seinen *Margites* und ähnliches.

5. In diesen Gedichten stellte sich auch das *passende Versmaß* ein, deshalb wird es auch jetzt das jambische genannt, weil man in diesem Versmaß sich gegenseitig zu verspotten pflegte (iámbizon). Von den alten Dichtern wurden dementsprechend die einen Jambendichter, andere dagegen Ependichter.

6. Wie nun auch in bezug auf das sittlich Gute *Homer* ein wirklicher Dichter war—hat er doch allein nicht nur vortrefflich gedichtet, sondern auch dramatische Handlungen dargestellt—, so hat er auch als Erster die Grundformen der Komödie angedeutet, indem er nicht ein Spottlied verfaßte, sondern das Lächerliche dramatisierte. Ist doch der *Margites* dem Drama ganz analog, denn wie sich die *Ilias* und (1449a) *Odyssee* zur Tragödie, so verhält sich jener zur Komödie.

7. Als nun aber die Tragödie und die Komödie aufgekommen waren, da verfaßten die Dichter, je nachdem sie sich zu der einen oder der anderen Dichtungsart hingezogen fühlten, ihrem eigentümlichen Naturell entsprechend Komödien statt Spottgedichte und Tragödien an Stelle von

Epen, weil diese Dichtungsfonnen bedeutungsvoller und höher geschätzt waren als jene (älteren).

8. Die Untersuchung, ob die Tragödie bereits hinreichend entwickelt ist oder nicht, sowohl an sich betrachtet als auch in Hinsicht auf die öffentliche Aufführung ist eine Frage für sich. Jedenfalls ist sie selbst, wie auch die Komödie, ursprünglich *von Stegreifversuchen ausgegangen* und zwar jene von dem Chor, der den *Dithyrambus* anstimmte, diese von den *phallischen Liedern*, die sich ja bis auf den heutigen Tag noch in vielen Städten im Gebrauch erhalten haben.

9. So ist denn die Tragödie allmählich herangereift, indem man jede ans Licht tretende Entwicklungsstufe vervollkommnete. Nachdem sie dann viele Wandlungen durchgemacht hatte, blieb sie stehen, da sie die ihrem Wesen entsprechende Gestalt erhalten hatte. Die Zahl der Schauspieler hat *Aischylos* von einem auf zwei gebracht, auch hat er den Anteil des Chors verringert und dementsprechend dem Dialog die Hauptrolle zugewiesen. Den dritten Schauspieler und gemalte Szenerie hat *Sophokles* eingeführt. (Eine weitere Entwicklungsstufe) war die aus Fabeln geringen Umfangs entstandene Größe ‹....› *Der sprachliche Ausdruck*, der aus einem burlesken Stil hervorging da er sich aus dem Satyrspiel entwickelte, erlangte erst spät einen würdigen Charakter und der (jambische) Trimeter trat an die Stelle des (trochäischen) Tetrameters. Ursprünglich gebrauchte man nämlich, da die Dichtung satyrhafter und tanzartiger war, den (trochäischen) Tetrameter. Als aber der (tragische) Stil sich gebildet hatte, fand die Natur selbst das für diesen *passende Metrum*, denn von allen Versmaßen eignet sich das jambische am meisten für den Gesprächston. Beweis dafür ist, daß wir sehr häufig in unserer Unterhaltung miteinander in jambischen (Trimetern) reden, nur selten aber in Hexametern und auch dann nur, wenn wir über den gewöhnlichen Gesprächston hinausgehen. Ferner ist auch die Zahl der Akte (Episoden) zu erwähnen. Alles übrige aber, wie ein jedes ausgerüstet worden sein soll, lasse man als gesagt gelten, denn es wäre doch wohl recht mühsam, wollte man das Einzelne eingehend besprechen.

KAPITEL V

c. 5, 3. Geschichtliche Entwicklung.

1. Die Komödie ist, wie wir sagten, die nachahmende Darstellung von niedrigeren Charakteren, jedoch keineswegs im vollen Umfang des Schlechten, sondern des Unschönen, von dem das Lächerliche ein Teil ist.

Denn das *Lächerliche* ist sowohl eine Art Vergehen als auch eine Entstellung, die keinen Schmerz verursacht und schadlos ist, wie denn gleich die komische Maske etwas Häßliches und Verzerrtes ist, aber nichts Schmerzhaftes an sich hat.

2. Die *Veränderungen der Tragödie und deren Urheber* sind nicht verborgen geblieben, die der *Komödie* aber, da sie ursprünglich nicht ernsthaft betrieben wurde, gerieten in Vergessenheit, denn (verhältnismäßig erst spät bewilligte der Archon den Komödiendichtern einen Chor, der (früher) nur aus (1449b) Freiwilligen bestand. Erst als die Komödie ihrerseits gewisse Kunstformen hatte, werden ihre uns überlieferten Dichter genannt. Wer aber die Masken oder den Prolog eingeführt oder die Zahl der Schauspieler vermehrt hat und was dergleichen mehr ist, ist unbekannt. Die Kunst zusammenhängende Handlungen zu dichten stammt aus Sizilien…, von den Dichtern Athens aber begann *Krates* als erster, indem er die Form des persönlichen Spottes aufgab, allgemeine Stoffe, d.h. Handlungen zu dramatisieren.

c. 5, 3. Besonderer Teil. Definition der Tragödie.

3. Das Epos hält mit der Tragödie nur bis auf die in metrischer Rede (?) nachahmende Darstellung ernsthafter Stoffe gleichen Schritt, unterscheidet sich aber von ihr darin, daß es ein und dasselbe Versmaß und die Form der Erzählung anwendet. Ferner in bezug auf den Umfang der Handlung. Während nämlich die *Tragödie sich besonders bemüht innerhalb eines Sonnenumlaufs zu bleiben* oder doch nur um ein weniges darüber hinauszugehen, ist die epische Handlung in der Zeit unbegrenzt. Also auch darin besteht zwischen ihnen ein Unterschied. Indessen machte man es ursprünglich darin mit den Tragödien ebenso wie mit den epischen Dichtungen.

4. Was nun ihre *Teile* anbelangt, so sind diese entweder die nämlichen oder sie sind nur der Tragödie eigentümlich. Wer also über eine Tragödie, ob sie gut oder schlecht ist, ein Urteil hat, hat es auch über das Epos. Denn was die epische Dichtung enthält, besitzt auch die Tragödie, was aber diese hat, besitzt nicht alles die epische Dichtung.

KAPITEL VI

1. Über die in Hexametern nachahmende Darstellung wie über die Komödie werden wir später handeln, jetzt wollen wir über die Tragödie reden, indem wir die *Definition* ihres Wesens dem bereits Gesagten entnehmen.

2. Die *Tragödie* ist demnach die nachahmende Darstellung einer sittlich ernsten, in sich abgeschlossenen, umfangreichen Handlung, in kunstvoll gewürzter Rede, deren einzelne Arten gesondert in (verschiedenen) Teilen verwandt werden, von handelnden Personen aufgeführt, nicht erzählt, durch die Erregung von Mitleid und Furcht die Reinigung (*Katharsis*) von derartigen Gemütsstimmungen bewirkend. Unter "kunstvoll gewürzter Rede" verstehe ich eine solche, die Rhythmus wie Harmonie, d.h. Gesang enthält, und unter dem "gesondert in seinen (verschiedenen) Arten," daß einiges (rein metrisch, anderes dagegen musikalisch ausgeführt wird....[8]

3. Da es nun handelnde Personen sind, die die nachahmende Darstellung vollziehen, so ergibt sich erstens mit Notwendigkeit, daß der Schmuck, der in der szenischen Ausstattung liegt, gewissermaßen ein Bestandteil der Tragödie ist, ferner die Gesangskomposition und der sprachliche Ausdruck, denn mit diesen Mitteln wird die nachahmende Darstellung erreicht. Unter sprachlichem Ausdruck verstehe ich hier die bloße Verbindung der Verse, unter Gesangskomposition aber das, was seinem Wesen nach allen offenkundig ist.

4. Da wir es nun mit der nachahmenden Darstellung einer *Handlung* zu tun haben, diese aber durch gewisse handelnde Personen erfolgt, die in Hinblick auf ihren Charakter und ihre Gedanken von einer bestimmten Beschaffenheit sein müssen, denn eben daraufhin legen wir ja den Handlungen eine gewisse Beschaffenheit (1450a) bei, so ergeben sich naturgemäß zwei Ursachen für eine Handlung, eben der Charakter und die Gedanken, denen gemäß alle ihr Ziel erreichen oder verfehlen.

5. Nun ist aber die nachahmende Darstellung einer Handlung die *Fabel*. Unter Fabel verstehe ich nämlich die Verknüpfung der Begebenheiten, unter *Charakter* aber, wonach wir den handelnden Personen eine bestimmte Beschaffenheit zuweisen, unter *Gedanken* endlich das, womit die Eedenden etwas beweisen oder einer allgemeinen Wahrheit Ausdruck verleihen.

c. 6, 6. Bestandteile der Tragödie.

c. 6, 6. Rangordnung der Bestandteile.

6. Somit gibt es also *sechs Bestandteile* einer jeden Tragödie, nach welchen sie eine bestimmte Beschaffenheit hat. Es sind diese: die *Fabel, die Charaktere, der sprachliche Ausdruck, die Gedanken, die szenische Ausstattung und die musikalische Komposition.* Zwei[9] von diesen Teilen gehören zu den Mitteln, eine[10] zu der Art und Weise und drei[11] zu den Gegenständen der nachahmenden Darstellung. Weitere gibt es nicht. Von diesen Formen hat man auch in der Regel Gebrauch gemacht, denn szenische Ausstattung hat ein jedes Drama, ebenso wie Charakterzeichnung, eine Fabel,

sprachlichen Ausdruck, Gesang und Gedankeninhalt.

7. *Der bedeutsamste dieser Bestandteile ist aber die Verknüpfung der Begebenheiten*, denn die Tragödie ist eine nachahmende Darstellung nicht der Menschen, sondern ihrer Handlungen und des Lebens. Glück und Unglück beruhen auf Handlung und ihr Endzweck ist eine Art Tätigkeit, nicht eine Beschaffenheit. Dem Charakter nach sind wir so oder so beschaffen, unseren Handlungen nach aber glücklich oder das Gegenteil. Daher handeln die Nachahmenden nicht um die Charaktere nachahmend darzustellen, sondern der Handlung zu Liebe werden die Charaktere in ihre Darstellung mitaufgenommen. So sind die Handlungen, will sagen die Fabel, das Endziel der Tragödie, das Endziel ist aber von allen Dingen die Hauptsache.

8. Ferner, ohne Handlung könnte es keine Tragödie geben, ohne Charaktere aber wäre dies wohl möglich, weisen doch die Tragödien der meisten Neueren keine (individuelle) Charakterzeichnung auf und überhaupt gilt dies von vielen Dichtern. Ähnlich verhält sich unter den Malern *Zeuxis* zu *Polygnot*. Dieser ist ein vortrefflicher Charaktermaler, die Malerei des *Zeuxis* hingegen entbehrt der Charakterisierung.

c. 6, 13. Rangordnung der Bestandteile.

9. Wiederum, sollte jemand charakterzeichnende Tiraden wohlgelungen im sprachlichen Ausdruck wie in den Gedanken hintereinander aufreihen, so würde er damit noch keineswegs die von uns der Tragödie zugewiesene Aufgabe erfüllen, um vieles eher würde dies eine Tragödie tun, die von jenen Dingen einen mangelhafteren Gebrauch macht, dagegen aber eine Fabel d.h. eine Verknüpfung der Begebenheiten aufweist.

10. Dazu kommt, daß gerade diejenigen Mittel, mit denen die Tragödie ihren Hauptreiz ausübt, ich meine die Peripetien (Schicksalswendungen) und Wiedererkennungen Bestandteile der Fabel sind.

11. Ein weiterer Beweis (für obige Behauptung) liegt darin, daß Anfänger in der Dichtkunst eher im sprachlichen Ausdruck und in der Zeichnung der Charaktere strengen Anforderungen der Kunst zu genügen imstande sind als die Begebenheiten gehörig zu verknüpfen und dasselbe trifft auf fast alle Dichter der ältesten Zeit zu. Grundlage und gleichsam die Seele der Tragödie ist also die Fabel.

12. An zweiter Stelle kommen die *Charaktere*. Eine Parallele bietet uns auch hier die Malerei. Wollte nämlich jemand eine Tafel mit den herrlichsten Farben (1450b) aufs geratewohl bestreichen, so würde er nicht ein gleiches Wohlgefallen hervorrufen, als wenn er nur eine (monochrome) Zeichnung grau in grau geben würde. Wir haben es eben mit der nachahmenden Darstellung einer Handlung zu tun und vermittelst dieser vorzugsweise einer

solchen von handelnden Personen.

13. Die *dritte Stelle* nehmen die *Gedanken* ein. Ich verstehe darunter das Vermögen das von den Umständen Gebotene und Angemessene zu sagen, genau dasselbe, was in der Beredsamkeit die Aufgabe politischer Einsicht und rhetorischer Schulung ist. Die alten Dichter ließen nämlich ihre Personen nach ethisch-politischen Gesichtspunkten reden, bei den neueren aber treten sie als Redekünstler auf.

14. Die Charakterzeichnung ist derart, daß sie die Beschaffenheit der Willensrichtung offenbart und deshalb haben diejenigen Tragödien keine Charakterzeichnung in den Dialogpartien, in denen sich garnichts findet, was der Redende begehrt oder meidet? Gedanken sind aber das, womit man beweist, daß etwas ist oder nicht ist, oder was einen allgemeinen Satz ausspricht.

15. Der *vierte* der (literarischen) Bestandteile ist der *sprachliche Ausdruck*. Ich verstehe darunter, wie bereits früher bemerkt wurde, die Fähigkeit sich in Worten auszudrücken, was übrigens bei gebundener wie ungebundener Rede im wesentlichen auf dasselbe hinausläuft.

16. Was die noch übrigbleibenden Bestandteile anbelangt so ist die musikalische Komposition das wichtigste der Verschönerungsmittel, die szenische Ausstattung dagegen ist zwar reizvoll, liegt aber der Dichtkunst ganz fern und ist ihr am wenigsten angemessen. Die Wirkung der Tragödie wird nämlich auch ohne öffentliche Aufführung und ohne Schauspieler erreicht. Außerdem gehört die Herstellung der szenischen Ausstattung mehr der Kunst des Theatermeisters an als der der Dichter.

KAPITEL VII

1. Nach diesen Bestimmungen wollen wir zunächst darüber reden, *wie etwa die Verknüpfung der Begebenheiten beschaffen sein muß*, da dies in der Tragödie sowohl zuerst in Betracht kommt als auch das wichtigste ist. Es stand uns also fest, daß die Tragödie die nachahmende Darstellung einer in sich abgeschlossenen und ganzen Handlung ist, die eine bestimmte Größe hat, denn es gibt auch ein Ganzes, das keine (eigentliche) Größe hat. Ein *Ganzes* ist nämlich das, was *Anfang wie Mitte und Ende hat*. Anfang ist das, was selbst nicht notwendigerweise auf ein anderes folgt, nach dem aber naturgemäß etwas ist, Ende dagegen ist das, was selbst naturgemäß nach

einem anderen ist, sei es notwendigerweise oder in der Regel, nach dem aber nichts folgt, Mitte endlich ist das, was auch selbst nach einem anderen und nach dem ein anderes folgt. Gutgebaute Fabeln müssen daher weder aufs geratewohl von irgend woher anfangen noch aufs geratewohl irgendwo enden, sondern sich nach den erwähnten Begriffsbestimmungen richten.

c. 7, 2. Die Fabel. Beschaffenheit.

2. Ferner, das Schöne, sei es ein lebendes Wesen, sei es irgend ein Gegenstand, der aus bestimmten Teilen zusammengesetzt ist, bedarf dieser Teile nicht nur in wohlgegliederter Folge, sondern muß auch eine nicht dem Zufall unterworfene Größe haben, denn das *Schöne beruht auf Ordnung und Größe.* Deshalb könnte weder irgend ein winzig kleines Wesen schön sein, denn dessen Betrachtung, die sich hart an der Grenze eines unwahrnehmbaren Zeitpunkts vollzieht, würde verworren zusammenfließen, noch ein übermäßig großes, denn die Wahrnehmung könnte nicht auf einmal (1451a) zustande kommen, sondern das Eine und Ganze würde den Betrachtenden aus dem Gesichtsfeld entschwinden wie z.B. wenn das Geschöpf 10000 Stadien lang wäre. Wie daher bei körperlichen Gegenständen und bei lebenden Wesen (um schön zu sein) Größe vorhanden, diese aber leicht zu übersehen sein muß, so ist auch bei den Fabeln ein bestimmter Umfang erforderlich, der seinerseits leicht im Gedächtnis behalten werden kann.

c. 7, 2. Die Fabel. Umfang und Einheit.

3. Was nun aber diesen *Umfang* selbst anbelangt, so ist dessen Umgrenzung in Rücksicht auf die öffentliche Aufführung und das Wahrnehmungsvermögen (der Zuschauer) nicht Sache der Dichtkunst. Denn wenn man (d.i. die Schauspieler) hundert Tragödien aufzuführen hätte, so würde man sie nach der Wasseruhr (Klepsydra) aufführen, wie wir bei anderer Gelegenheit[12] uns auszudrücken pflegen. Die aus der Natur der Sache selbst sich ergebende Umgrenzung ist aber diese: Stets wird die ausgedehntere Fabel, insofern sie übersichtlich ist, auch im Hinblick auf ihren Umfang die vorzüglichere sein. Um aber eine einfachere Bestimmung zu treffen, so ist es eine genügende Umgrenzung des Umfangs, wenn man (d.i. der Held) innerhalb der aufeinander folgenden Ereignisse nach Wahrscheinlichkeit oder Notwendigkeit einen Umschwung aus Unglück in Glück oder aus Glück in Unglück durchmacht.

KAPITEL VIII

1. Die Fabel ist aber nicht schon eine einheitliche, wie einige meinen, wenn

sie sich um eine *einzelne Person* dreht, denn unendlich viele Dinge begegnen einer einzelnen Person, von denen manche gar keine *Einheit* darstellen und so gibt es auch viele Handlungen einer einzelnen Person, aus denen keine einzige einheitliche Handlung sich entwickelt.

2. Daher scheinen mir alle jene Dichter im Irrtum zu sein, die eine *Herakleis* und eine *Theseis* und ähnliche Werke gedichtet haben. Denn sie glauben, weil *Herakles* eine einzelne Person sei, komme auch der Fabel ein einheitlicher Charakter zu.

c. 8, 4 Die Fabel. Einheit.

3. *Homer* dagegen, wie er ja auch in allem anderen hervorragt, scheint auch hier einen künstlerischen Blick gehabt zu haben, sei es infolge erworbener oder angeborener Tüchtigkeit. Denn bei der Abfassung seiner *Odyssee* hat er nicht alles, was *Odysseus* selbst widerfuhr, behandelt, wie z.B. die Verwundung auf dem Parnaß[13] und den vorgeschützten Wahnsinn bei dem Aufgebot,[14] da von diesen Begebnissen keins, falls das eine eintrat, auch das andere mit Notwendigkeit oder Wahrscheinlichkeit eintreten mußte. Er hat vielmehr die *Odyssee* um eine einheitliche Handlung, wie wir sie eben bestimmt haben, aufgebaut und desgleichen auch die *Ilias.*

4. Es muß daher, wie auch in den anderen nachahmenden Darstellungen die einzelne Nachahmung Darstellung eines einzelnen Gegenstandes ist, so auch die *Fabel, da sie die Nachahmung einer Handlung ist, Nachahmung einer einheitlichen und zwar einer vollständigen sein.* Und es müssen die Teile der Begebenheiten so zusammenhängen, daß, wenn auch nur einer dieser Teile versetzt oder weggenommen wird, das Ganze zerstört wird und auseinander fällt. Denn dasjenige, was ohne einen in die Augen springenden Eindruck zu machen, vorhanden oder nicht vorhanden sein kann, ist kein (wesentlicher) Teil des Ganzen mehr.

KAPITEL IX

c. 9, 1, Die Fabel. Dichter und Historiker.

1. Aus dem Gesagten erhellt, daß es nicht die Aufgabe des Dichters ist *das, was sich wirklich zugetragen zu erzählen, sondern das, was sich hätte zutragen können* und was nach Wahrscheinlichkeit oder Notwendigkeit möglich ist.

2. *Der Geschichtsschreiber* und der *Dichter* (1451b) unterscheiden sich nämlich nicht durch die gebundene oder ungebundene Rede, denn man könnte

das Werk des *Herodot* in Verse setzen und es würde nach wie vor eine Art Geschichtsdarstellung sein, mit Versmaß oder ohne Verse. Der Unterschied ist vielmehr der, daß jener, was sich zugetragen darstellt, dieser, was sich hätte zutragen können.

3. Deshalb ist auch die *Poesie philosophischer und höher einzuschätzen als die Geschichtsschreibung denn die Poesie stellt mehr das Allgemeine, die Geschichtsschreibung das Einzelne dar.* Das Allgemeine besteht darin, daß dem so oder so Beschaffenen es zukommt, so oder so nach der Wahrscheinlichkeit oder Notwendigkeit zu reden oder zu handeln und darauf richtet die Dichtkunst bei der Namengebung ihr Augenmerk, das Einzelne ist aber, was ein *Alkibiades* getan oder erlitten hat.

4. Bei der Komödie ist nun dies bereits augenfällig geworden. Indem die Dichter nämlich ihren Stoff auf Grund wahrscheinlicher oder notwendiger Begebenheiten gestalteten, haben sie ihren Personen dementsprechend beliebige Namen beigegeben und nicht wie die Jambendichter sich mit einer historischen Persönlichkeit befaßt.

5. In der *Tragödie* dagegen *hält man sich an die überlieferten Namen.* Der Grund dafür ist, daß das Mögliche auch glaublich ist. Was sich aber noch nicht zugetragen hat, an dessen Möglichkeit glauben wir nicht ohne weiteres, dagegen ist offenbar das möglich was sich bereits zugetragen hat, denn es hätte sich ja gar nicht zutragen können, wenn es unmöglich gewesen wäre. Indessen verhält es sich in den Tragödien nicht anders, in einigen gehört nur der eine oder zwei zu den bekannten Namen, während die übrigen erdichtet sind, in anderen findet sich überhaupt kein einziger bekannter Name, wie in der Anthē des Agathon, in welchem Drama die Begebenheiten ebenso wie die Namen erfunden sind, und dennoch gewährt es eine nicht geringere Freude.

6. Deshalb soll man auch *nicht um jeden Preis darnach trachten sich an die überlieferten Sagenstoffe,* die den Tragödien zugrundeliegen, *zu binden,* denn es wäre lächerlich darnach zu trachten, ist doch auch das Bekannte nur wenigen bekannt und trotzdem erfreut es alle.

7. Es ist demnach klar, daß der Dichter vielmehr ein *Dichter von Sagenstoffen als von Versmaßen* sein muß, insofern er ein Dichter auf Grund der nachahmenden Darstellung ist und zwar Handlungen nachahmt Und sollte es sich einmal treffen, daß er das, was sich wirklich zugetragen hat, darstellt, so ist er nichtsdestoweniger ein Dichter. Denn nichts hindert, daß von dem, was sich tatsächlich zugetragen hat, manches der Wahrscheinlichkeit entsprechend sich zugetragen hat und in bezug auf diesen Punkt erweist er sich eben als ein Dichter jener Begebenheiten.

c. 9, 8. Die Fabel. Arten der Fabel.

8. Von *mangelhaften* Fabeln, d.h. Handlungen sind die *episodischen* die schlechtesten. Ich verstehe unter einer episodischen Fabel eine solche, in der die episodischen Teile ohne Wahrscheinlichkeit oder Notwendigkeit aufeinander folgen. Solche werden von minderwertigen Dichtern infolge ihres eigenen Unvermögens verfaßt, von guten dagegen aus Rücksicht auf die Schauspieler. Da sie nämlich Dramen aufführen und einmal die Fabel über Gebühr ausgedehnt haben, kommen sie oft in die Zwangslage die (natürliche) Abfolge (der Begebenheiten) in Unordnung zu bringen. (1452a)

9. Da wir es nun mit der nachahmenden Darstellung einer Handlung zu tun haben, die nicht nur in sich abgeschlossen ist, sondern auch furcht- und mitleiderregende Vorgänge enthält, diese aber ganz besonders dann entstehen, wenn sie sich wider Erwarten aus dem (inneren) Zusammenhange ergeben, ‹so ist das *Wunderbare* ein wirkungsvolles Element der Tragödie›. Und es wird das Wunderbare eine noch größere Wirkung ausüben, als wenn es nur von Ungefähr oder durch Zufall eintritt, da selbst bei rein zufälligen Ereignissen diejenigen den größten Eindruck des Wunderbaren machen, deren Vorkommen gleichsam den Schein der Absichtlichkeit erwecken, wie z.B. die Bildsäule des *Mitys* in Argos den, der an dem Tode des *Mitys* schuld war, erschlug, indem sie, gerade als er sie betrachtete auf ihn niederfiel. So etwas scheint nämlich nicht auf Zufall zu beruhen. Es sind also derartig beschaffene Stoffe notwendigerweise die kunstgerechteren (schöneren).

KAPITEL X

1. Von Fabeln sind die einen *einfach*, die anderen *verflochten*, denn derart sind auch ihrer Natur nach die Handlungen, deren nachahmende Darstellungen ja die Fabeln sind. Unter einer einfachen Fabel verstehe ich eine solche, in deren ununterbrochenem und einheitlichem Verlauf unserer Bestimmung gemäß der Umschwung ohne Peripetie oder Erkennung herbeigeführt wird, eine verflochtene dagegen bei der der Umschwung mit Erkennung oder Peripetie oder mit beiden zugleich zustandekommt.

2. Diese beiden müssen aber aus dem Aufbau der Fabel selbst sich ergeben und zwar so, daß sie aus den jeweilig vorhergegangenen Begebenheiten, sei es mit Notwendigkeit, sei es mit Wahrscheinlichkeit sich entwickeln. Denn es macht einen erheblichen Unterschied ob etwas "propter hoc" oder "post hoc" erfolgt.

KAPITEL XI

1. *Peripetie* ist der Umschwung dessen, was man tut, in sein Gegenteil und zwar unserer Ansicht entsprechend auf Grund der Wahrscheinlichkeit oder Notwendigkeit So kommt z.B. einer im *Oidipus*,[15] um den *Oidipus* zu erfreuen und ihn von seiner Furcht in betreff seiner Mutter zu befreien; indem er aber dadurch dessen Herkunft offenbart, bewirkt er das gerade Gegenteil und im *Lynkeus* wird der eine zum Tode geführt, ein anderer [Danaos] folgt ihm, um ihn zu töten, es ergibt sich aber aus dem, was sie taten, daß dieser den Tod erleidet, jener aber gerettet wird.

c. 11, 2. Die Fabel. Peripetie und Anagnorisis.

2. *Erkennung* (Anagnorisis) ist, wie ja auch schon der Name besagt, die Umwandlung aus Unkenntnis in Kenntnis, die entweder zur Freundschaft oder Feindschaft der zu Glück oder Unglück ausersehenen Personen führt. Am kunstvollsten ist die Erkennung, wenn zugleich damit eine Peripetie eintritt, wofür die Erkennung im *Oidipus* ein Beispiel bietet.

3. Es gibt nun freilich auch andere Arten der Erkennung denn in bezug sowohl auf leblose wie auf ganz beliebige Dinge kann sie in der erwähnten Weise eintreten, und man kann erkennen, ob jemand etwas getan oder ob er es nicht getan hat. Aber die wichtigste für die Fabel, d.h. die wichtigste für die Handlung ist die erstgenannte. Denn eine derartige Erkennung und Peripetie werden entweder Mitleid erwecken oder auch Furcht und als nachahmende Darstellung (1452b) solcher Handlungen gilt uns ja die Tragödie. Ferner werden ja auch Glück und Unglück durch solche Erkennungen bedingt sein.

4. Da nun die Erkennung (vorzugsweise) eine Erkennung von gewissen Personen ist, so gibt es einerseits Erkennungen, die nur von einer einzelnen Person in bezug auf die andere stattfinden, falls es nämlich bekannt ist, wer die andere Person ist; andrerseits müssen beide Parteien sich erkennen, wie z.B. *Iphigeneia* von *Orestes* vermittelst der Absendung ihres Briefes erkannt wurde, dieser aber von Seiten der Iphigeneia noch einer anderen Erkennungsart bedurfte.

5. Dieses wären also zwei Bestandteile der Fabel, nämlich Peripetie und Erkennung? die *dritte* ist die *leidvolle Tat*. Eine leidvolle Tat aber ist eine verderbenbringende und schmerzverursachende Handlung als da sind Tötungen vor den Augen der Zuschauer Fälle, von übermäßigen Qualen, Verwundungen und sonstiges dieser Art.

KAPITEL XII

1. Die (qualitativen) Teile der Tragödie, welche man als Arten verwenden muß, haben wir vorhin besprochen; was die *quantitativen* anbelangt, d.h. die gesonderten Teile, in die sie geschieden werden, so sind es folgende: *Prolog, Epeisodion, Exodos, Chorlied*, das seinerseits in die *Parodos* und das *Stasimon* zerfällt. Diese Bestandteile sind allen Dramen gemeinsam, der Tragödie eigentümlich die *Gesänge von der Bühne* und die *Kommoi*.

2. Es ist aber der Prolog ein vollständiger Teil der Tragödie vor dem Einzug des Chors, das Epeisodion ein vollständiger Teil der Tragödie, der zwischen vollständigen Chorgesängen liegt, die Exodos ein vollständiger Teil der Tragödie, nach dem kein Chorgesang folgt. Von den Chorpartien ist die Parodos der erste Vortrag des ganzen Chors, das Stasimon der Chorgesang ohne Anapaest und Trochaeus, der Kommos endlich ist der Trauergesang des Chors zusammen mit den Gesängen von der Bühne. Die (qualitativen) Teile der Tragödie, welche man als Arten verwenden muß, haben wir also vorhin besprochen, was die quantitativen anbelangt, d.h. die gesonderten Teile, in die sie geschieden werden, so sind es die genannten.

KAPITEL XIII

1. Was man bei dem Aufbau der Fabeln erstreben und was man vermeiden muß und wodurch die Aufgabe der Tragödie erreicht werden wird, soll nun auf Grund des bereits Erörterten im folgenden dargestellt werden.

c. 13, 2. Die Fabel. Quantitative Teile der Tragödie.

c. 13, 2. Die Fabel. Beschaffenheit der Handlung.

2. Da die *Komposition der Tragödie* keine einfache sondern eine *verflochtene* sein soll und diese *furcht- und mitleiderregende* Ereignisse nachahmend darzustellen hat, liegt doch eben darin das Charakteristische einer derartigen nachahmenden Darstellung so ist zunächst folgendes klar: *Weder dürfen sittlich hervorragende aus Glück in Unglück geratene Männer vor Augen treten*, denn dies wäre weder furcht- noch mitleiderregend, sondern (einfach) gräßlich, noch sollen *schlechte aus Unglück in Glück geraten*, denn dies wäre das Untragischste von allen, da es keine der Forderungen (1453a) erfüllt, indem es die allgemein menschliche Teilnahme unberührt läßt und weder mitleid- noch furchterregend ist. Ferner *soll auch nicht der Erzbösewicht aus Glück ins Unglück stürzen*, denn ein solcher Vorgang würde zwar menschliche Teilnahme erwecken, aber weder Mitleid noch Furcht. Ersteres

nämlich bezieht sich auf einen unverdient Leidenden, letztere auf einen unseres gleichen, so daß ein derartiges Ereignis nichts Mitleid- oder Furchterregendes an sich hat.

3. Es bleibt mithin nur noch *Einer übrig, der zwischen jenen Charakteren die Mitte hält.* Es ist dies aber ein solcher, der weder durch sittliche Tüchtigkeit und Gerechtigkeit hervorragt, noch andrerseits durch Schlechtigkeit und Gemeinheit in Unglück gerät, sondern *infolge einer Art Irrtum und zwar bei Personen von großem Ansehen* und in glücklicher Lebenslage, wie bei *Oidipus* und *Thyestes* und anderen erlauchten Männern aus solchen Geschlechtern.

4. Es ist daher notwendig, daß eine kunstgerechte Fabel *vielmehr einen einseitigen Ausgang als einen doppelten*, wie manche meinen, haben muß und daß der Umschwung nicht in Glück aus Unglück, sondern im Gegenteil aus Glück in Unglück stattfinde und zwar nicht durch Schlechtigkeit, sondern auf Grund eines folgenschweren Irrtums von seiten eines Mannes der angegebenen Art oder eines, der eher besser als schlechter ist Einen Beweis dafür liefert auch die (literarhistorische) Entwicklung, denn anfangs wählten die Dichter der Reihe nach beliebige Sagenstoffe, jetzt aber drehen sich die Tragödien nur um wenige Familienhäuser, wie um einen *Alkmeon, Oidipus, Orestes, Meleagros, Thyestes, Telephos* und solch' andere, denen es beschieden war, entweder Schreckliches zu leiden oder zu vollbringen.

5. Aus einer derartig aufgebauten Handlung entsteht also die nach den Regeln der Kunst gebaute schönste Tragödie. Deshalb befinden sich auch diejenigen im Irrtum, die *Euripides* tadeln, weil er dieses Verfahren in seinen Tragödien einschlägt und viele seiner Dramen unglücklich enden. Denn gerade dies ist, wie gesagt, das Richtige. Der schlagendste Beweis dafür ist folgender. Bei der Bühnenaufführung erscheinen gerade derartige Stücke, falls sie gut gespielt werden, tragisch ganz besonders wirksam und deshalb erscheint *Euripides*, mag auch in anderen Dingen seine Technik nicht (immer) lobenswert sein, doch tragisch wirksamer als andere Dichter.

6. An *zweiter* Stelle kommt diejenige Anlage der Handlung, der von einigen die erste eingeräumt wird, nämlich die, *welche eine doppelte Anlage enthält* wie die *Odyssee*, und für die Besseren und Schlechteren (wider Erwarten) in entgegengesetzter Weise ausläuft. Sie scheint aber die erste Stelle auf Grund der Schwäche des Theaterpublikums einzunehmen richten sich doch die Dichter in ihren Werken nach den Wünschen der Zuschauer. Aber nicht dies ist das Lustgefühl, das von der Tragödie ausgehen soll, sondern jener Vorgang ist vielmehr der Komödie eigentümlich, wo nämlich Personen, die in der Sage die größten Feinde sind, wie z.B. *Orestes* und *Aigisthos*, am Schluß als Freunde abziehen und keiner den Tod von der Hand des anderen erleidet.

KAPITEL XIV

c. 14, 1. Die Fabel. Arten der Handlung.

l. Es kann nun das *Furcht- und Mitleiderregende* (1453b) aus der szenischen Ausstattung erwachsen, es kann aber auch aus der *Verknüpfung der Ereignisse* selbst sich ergeben und dies ist das Vortrefflichere und Sache des besseren Dichters. Man muß nämlich auch ohne Rücksicht auf die Aufführung die Fabel so gestalten, daß man schon beim *bloßen Anhören* aus dem, was sich zuträgt, Schauder und Mitleid empfindet, eine Wirkung, die jemand, der die (dramatische) Darstellung der *Oidipus*-Geschichte auch nur (vorlesen) hört, an sich erproben kann. Diese Wirkung aber (allein) durch Vermittlung der szenischen Ausstattung zu erzielen ist unkünstlerischer, weil sie (rein äußerer) theatralischer Mittel bedarf. Diejenigen aber, die vermittelst szenischer Ausstattung nicht das Furcht- und Mitleiderregende, sondern lediglich Wundererscheinungen bezwecken, haben überhaupt nichts mehr mit der Tragödie gemein, denn *nicht jede Lustempfindung darf man von der Tragödie verlangen*, sondern nur die (ihrem Wesen) eigentümliche. Da also der Dichter nur die aus Mitleid und Furcht vermittelst einer nachahmenden Darstellung sich ergebende Lustempfindung bereiten soll, so ist klar, daß er diese Wirkung eben in die Begebenheiten selbst verlegen muß.

2. Wir wollen nunmehr untersuchen, welche *Art von Vorgängen als schrecklich, welche als mitleidvoll anzusehen ist.* Notwendigerweise spielen sich derartige Handlungen unter Personen ab, die *entweder untereinander verwandt oder verfeindet oder keins von beiden* sind. Greift ein Feind einen Feind an, mag er nun die Tat wirklich ausführen oder nur im Begriff sein sie auszuführen, so ist das nicht mitleid- oder furchterregend, wenn wir (im

ersteren Falle) von dem leidvollen Vorgang als solchem absehen, und dasselbe trifft auf Personen zu, die sich gleichgültig gegenüberstehen.

3. Wenn aber die leidvollen Taten unter Verwandten stattfinden, wie wenn der Bruder den Bruder, der Sohn den Vater, die Mutter den Sohn oder der Sohn die Mutter tötet oder zu töten im Begriff ist oder irgend ein anderer (Verwandter) etwas der Art tut, so sind dies die Begebenheiten, die man aufsuchen muß.

4. Den Kern der *überkommenen Sagen darf man aber nicht zerstören*, ich meine, daß z.B. *Klytaimestra* von der Hand des *Orestes* fällt und *Eriphyle* von der des *Alkmeon*; im übrigen soll der Dichter selbst erfinden und die überlieferten Stoffe *kunstvoll* verwerten. Was wir unter "kunstvoll" verstehen, wollen wir etwas genauer erläutern. Die Handlung kann nämlich (1) so sich abspielen, wie die alten Dichter Personen, die (ihre Opfer) kennen und wissen, wer sie sind, darzustellen pflegten, wie noch *Euripides*[16] *Medea* ihre Kinder mordend darstellte.

c. 14, 5. Die Fabel. Arten der Handlung.

5. Ein weiterer Fall ist (2) der, in dem die Tat in Unkenntnis (des Opfers) begangen wird oder aber, (3) wo das Schreckliche zwar auch unwissentlich ausgeführt wird, aber erst hinterher die Verwandtschaft erkannt wird, wie der *Oidipus* des *Sophokles*, wo freilich die Tat außerhalb des Dramas liegt; innerhalb der Tragödie selbst gibt uns ein Beispiel der *Alkmeon* des *Astydamas* oder *Telegonos* im "*Verwundeten Odysseus*." Sodann (4) kann man nur im Begriff sein, irgend eine ruchlose Tat in Unkenntnis zu begehen, vor der Ausführung aber (das Opfer) erkennen. Außer diesen Fällen gibt es keine anderen. Denn notwendiger weise ist die Tat entweder vollbracht oder nicht, und zwar wiederum entweder in Kenntnis (des Opfers) oder in Unkenntnis.

6. Von diesen (Möglichkeiten) ist nun in Kenntnis (des Opfers) die Tat nur zu beabsichtigen, aber nicht zu vollführen, die minderwertigste. Denn dies hat etwas Abscheuerweckendes und nichts Tragisches an sich, fehlt ihr doch die leidvolle Tat. Darum hat auch niemand derartiges dargestellt, oder doch nur selten, wie z.B. in der *Antigone Haimon* gegenüber *Kreon* (1454a) so verfährt[17].

7. *An zweiter Stelle* kommt die wirkliche Vollziehung der Tat, wobei die zwar in Unkenntnis vollzogene, aber mit einer nach der Tat folgenden Erkennung die bessere ist.

8. Die *wirkungsvollste* Art aber ist die letzte. Ich meine z.B., wie im *Kresphontes Merope* sich anschickt ihren Sohn zu töten, ihn aber nicht tötet, sondern (vorher) erkennt und wie in der *Iphigeneia* die Schwester den Bruder erkennt, (ehe sie ihn tötet), und in der *Helle* der Sohn im Begriff die Mutter

32

(dem Tode) auszuliefern sie erkennt.

9. Deshalb bewegen sich, wie bereits erwähnt, die Tragödien um nicht viele Geschlechter. Denn auf der Jagd nach (passenden) Stoffen gelang es den Dichtern weniger durch ihre eigene Kunst als durch des Zufalls Gunst derartige Wirkungen in ihren Fabeln anzubringen, und sie wurden so gezwungen bei denjenigen Familienhäusern zusammenzutreffen, in denen eben derartige leidvolle Taten sich ereignet haben. Über die Verknüpfung der Begebenheiten und die nötige Beschaffenheit dieser Sagenstoffe ist also hiermit hinreichend gesprochen worden.

KAPITEL XV

1. Was die *Charaktere* anbelangt, so sind es *viererlei* Eigenschaften, auf die man sein Augenmerk richten muß. *Erstes* und wichtigstes Erfordernis ist, daß sie *sittlich gut* seien. Charakter wird aber jemand haben, wenn, wie bereits erwähnt, seine Eede oder Handlungsweise irgendeine Willensrichtung, welcher Art sie auch sein mag, offenbart und zwar einen sittlich guten Charakter, wenn diese Willensrichtung eine sittlich gute ist. Ein solcher ist aber in jeder menschlichen Gattung vorhanden, denn auch ein Weib kann sittlich gut sein und ein Sklave, obgleich vielleicht von diesen die eine ein minderwertiges, der andere ein ganz und gar untaugliches Geschöpfist.

2. Das *zweite* ist das *Angemessene*. Es kann z.B. ein Charakter tapfer sein, ohne daß dies für ein Weib angemessen sein würde, wie denn ein solcher im allgemeinen bei ihr auch nicht üblich ist.

3. Das *dritte* ist die (historische) *Ähnlichkeit*. Dies ist nämlich etwas anderes als den Charakter sittlich gut und angemessen, wie wir uns ausdrückten, darzustellen.

4. Das *vierte* ist die *Konsequenz*, denn selbst wenn irgend eine Person, die den Gegenstand der nachahmenden Darstellung abgibt, inkonsequent sein sollte und als ein derartiger Charakter dem Dichter vorgelegen hat, so muß sie gleichwohl konsequent inkonsequent sein.

c. 15, 5. Die Charaktere.

5. Ein Beispiel einer Schlechtigkeit des Charakters von nicht (innerer) Notwendigkeit ist beispielsweise *Menelaos* im *Orestes*, von einem unpassenden und unangemessenen, z.B. der Klagegesang des *Odysseus* in der *Skylla* und die Rede der *Melanippe*, ⟨von einem ohne historische Ähnlichkeit z.B....⟩, von einem inkonsequenten endlich die *Iphigeneia in Aulis*, denn die

33

(um ihr Leben) Flehende gleicht in keiner Weise der späteren (sich freiwillig opfernden).[18]

6. Man soll auch in der Zeichnung der Charaktere, ebenso gut wie in der Verknüpfung der Handlungen, stets, sei es auf deren Wahrscheinlichkeit, sei es auf deren Notwendigkeit bedacht sein, auf daß ein so beschaffener Charakter so oder so, entweder nach der Notwendigkeit oder Wahrscheinlichkeit auch rede oder handle, wie ja auch die eine Begebenheit auf die andere der Notwendigkeit oder Wahrscheinlichkeit entsprechend erfolgen muß.

7. Es ist demnach klar, daß auch die *Lösungen in den Fabeln* sich aus dem *Charakter* selbst ergeben (1454b) müssen und nicht wie in der *Medea*[19] durch die (Theater-) Maschine und in der *Ilias*[20] anläßlich der Vorgänge bei der Abfahrt, denn die Maschine darf vielmehr nur für Begebenheiten außerhalb des Dramas in Anwendung kommen, sei es in Bezug auf Ereignisse der Vergangenheit oder bei Vorgängen, die ein Mensch nicht wohl wissen konnte, oder aber bei zukünftigen Dingen, die der Vorhersagung und Verkündigung bedürfen denn den Göttern gestehen wir ja zu, daß sie alles wahrnehmen.

8. Aber auch keine Ungereimtheit darf in Tragödien vorkommen und, wenn ja einmal, nur außerhalb der Tragödie, wie jene bekannte im *Oidipus* des *Sophokles*.[21]

9. Da nun die Tragödie *eine nachahmende Darstellung besserer Menschen*, als wir es zusein pflegen, ist, so muß man die guten Portraitmaler als nachzuahmendes Vorbild nehmen. Indem nämlich diese ihren Personen zwar die ihnen eigentümliche Gestalt verleihen und sie demgemäß ähnlich bilden, malen sie sie dennoch schöner. So muß auch der nachahmend darstellende Dichter, wenn er zornige oder leichtmütige oder mit anderen derartigen Charakterzügen ausgestattete Personen zu bilden hat, sie in ihrer Eigenart als *sittlich vortreffliche Menschen zeichnen*, wie z.B. *Homer* den sich fernhaltenden *Achill* als einen guten Menschen geschildert hat.

10. Auf diese Dinge muß man also achten und überdies auch auf die der Dichtung sich notwendig anpassende sinnfällige Darstellung, denn auch bei dieser kann man oft in die Irre gehen. Doch ist darüber bereits in meinen herausgegebenen Schriften zur Genüge gehandelt worden.

KAPITEL XVI

1. Was Erkennung ist, wurde früher gesagt. Was nun die *Arten der Erkennung* betrifft, so ist die erste die unkünstlerischste, deren sich die meisten als Verlegenheitsmittel bedienen, nämlich die durch Zeichen. Von diesen sind nun (a) die einen *angeboren*, wie z.B. die Lanze, welche die Erdgeborenen tragen, oder die Sterne, wie z.B. die im *Thyestes* des *Karkinos*. Andere (b) sind *erworben* und diese wiederum sind teils *körperlich*, wie Narben, teils *äußerliche Gegenstände*, wie beispielsweise Halsbänder und die durch die Wanne herbeigeführte Erkennung in der *Tyro*. Aber auch diese Zeichen kann man mehr oder minder geschickt anwenden. So wurde z.B. *Odysseus* an der Narbe auf die eine Weise von der Amme,[22] auf eine andere von dem Sauhirten[23] erkannt. Allerdings sind die lediglich der Beglaubigung wegen eingeführten Erkennungen weniger kunstvoll und überhaupt alle rein äußerlichen Erkennungen dieser Art. Doch sind die aus der Peripetie sich ergebenden, wie die in der (eben genannten) Badeszene[24], (verhältnismäßig) besser.

2. Eine *zweite* Art sind die vom Dichter *erfundenen* und eben darum unkünstlerisch. So erkannte z.B. *Iphigeneia* in der *Iphigeneia*, daß *Orestes* (vor ihr stehe). Jene nämlich wurde durch den Brief erkannt[25], dieser sagt aber selbst[26], was dem Dichter beliebt, nicht aber was die Handlung fordert. Deshalb kommt dies (Verfahren) dem erwähnten Mißgriff ziemlich nahe, denn er (Orestes) hätte ebensogut einige (Erkennungszeichen auch an sich tragen können. Ein (weiteres) Beispiel liefert "*die Stimme der Spindel*" im *Tereus* des *Sophokles*.

3. Die *dritte* Art kommt auf Grund einer *Erinnerung* zustande, indem man sich einer Sache bewußt wird, die man wahrgenommen hat, wie der Vorgang in den *Kypriern* des *Dikaiogenes*, denn (daselbst) (1455a) brach (der Held) beim Anblick des Bildes in Weinen aus, und derjenige in der "Mär des *Alkinoos*," denn nachdem er (Odysseus) dem Kitharisten zugehört hatte und sich der (vorgetragenen Begebenheiten) erinnerte, vergoß er Tränen,[27] wodurch sie dann beide erkannt wurden.

4. Die *vierte* Art endlich beruht auf einer *Schlußfolgerung* wie z.B. in den *Choephoren*[28]: Jemand (dem Orestes oder mir, Elektra) ähnlich ist angekommen, (ihm oder mir) ähnlich ist aber niemand außer *Orestes*. Also ist *Orestes* angekommen. Ferner die Erkennungsszene in betreff der *Iphigeneia* bei *Polyidos*, dem Sophisten, denn es war (durchaus) wahrscheinlich daß *Orestes* den Schluß zog, weil seine Schwester geopfert wurde, so sei es auch ihm nun beschieden geopfert zu werden. Ferner im *Tydeus* des *Theodektes*: Gekommen seinen Sohn zu finden, verfalle er nun selbst dem Tode. Endlich die Szene in den *Phiniden*: Nachdem die Frauen des Ortes ansichtig wurden,

schlössen sie auf ihr Verhängnis, weil ihnen das Schicksal bestimmt hatte an diesem Ort zu sterben, denn eben dort seien sie ausgesetzt worden. Es gibt aber auch eine zusammengesetzte Art der Erkennung aus dem Fehlschluß des einen, (der angeredeten Person), wie z.B. im *"Odysseus der Trugbote"*. Da behauptete der eine (Odysseus), er allein könne den Bogen spannen und kein anderer. Dies läßt ihn der Dichter nach der Überlieferung sagen; wenn er nun aber hinzufügt, er werde den Bogen wiedererkennen, den er doch niemals gesehen, so war die Annahme, er werde diesen (wirklich) wiedererkennen, ein Fehlschluß.

c. 16, 5. Arten der Anagnorisis.

5. Von allen Erkennungsarten ist aber diejenige, die aus den Begebenheiten selbst entspringt, die beste, insofern die Überraschung auf Grund wahrscheinlicher Vorgänge erfolgt, wie im *Oidipus* des *Sophokles*[29] und in der *Iphigeneia*[30], denn es ist durchaus wahrscheinlich daß sie ein Schreiben mitzugeben wünscht. Diese Erkennungen bestehen für sich allein ohne erdichtete Zeichen, wie Halsbänder. An zweiter Stelle kommt die aus einer Schlußfolgerung sich ergebende.

KAPITEL XVII

c. 17, 1. Vorschriften für den Tragödiendichter.

1. Man muß bei der *Gestaltung der Fabeln und ihrer sprachlichen Ausarbeitung die Vorgänge soweit wie irgend möglich sich vor Augen stellen*, denn nur wenn der Dichter diese im klarsten Lichte sieht, als wäre er bei den Begebenheiten selbst zugegen, dürfte er das Passende finden und auch Widersprüche schwerlich übersehen. Ein Beweis dafür ist, was dem *Karkinos* einmal zum Vorwurf gemacht wurde. Eine Person [Amphiaraos?] entstieg dem Tempel ‹....› Dies entging dem Dichter, der sich die Situation nicht vergegenwärtigte, und so fiel er bei der Aufführung durch, weil dieser Verstoß den Unwillen der Zuschauer erregte.

2. *Sodann soll der Dichter*, soweit es irgend wie angeht, *Mienen und Geberden seiner Personen an sich* (darstellerisch) *miterproben*, denn am überzeugendsten sind die, welche kraft ihres eigenen Naturells sich in (die betreffenden) Gemütsstimmungen versetzen können, und am Wahrheitsgetreusten wird der selbst heftig Erregte aufregend darstellen und der Erzürnte seinen Zorn auf andere übertragen. Deshalb ist die *Dichtkunst vielmehr Sache eines Hochbegabten als eines Besessenen*, denn jene sind reichlich bildsam, diese aber außer Rand und Band.

3. Der Dichter soll ferner die *Sagenstoffe* und zwar (1455b) sowohl die bereits erfundenen als die, welche er selbst erfindet, *zuerst in einem allgemeinen Umriß entwerfen, dann Episoden einflechten*, d.h. erweitern. Ich meine, das Allgemeine läßt sich z.B. an der *Iphigeneia* so veranschaulichen: Eine gewisse Jungfrau wurde auf den Opferaltar gelegt und den Opfernden auf unbekannte Weise entrückt, sie wurde in ein anderes Land[31] versetzt, wo es Brauch war Fremde der (Landes) Göttin[32] zu opfern. Sie erhielt dieses Priesteramt.[33] Nach einiger Zeit fügte es sich, daß ihr Bruder[34] eintraf—die Tatsache, daß der Gott[35] aus einem bestimmten Grunde ihm befohlen hatte dorthin zu kommen und in welcher Absicht,[36] liegt außerhalb der dramatischen Handlung. Genug, er kam, wurde festgenommen und gerade im Begriff geopfert zu werden, erkannte er seine Schwester, sei es, wie *Euripides*[37], sei es wie *Polyidos* die Erkennung (des Bruders) herbeiführte, indem er ihn in wahrscheinlicher Weise die Äußerung tun läßt, daß also nicht nur seine Schwester, sondern nun auch er geopfert werde, und daraus erfolgte seine Rettung. Nachdem dieser Umriß entworfen und die Namen (den Personen) bereits beigelegt worden sind, füge man Episoden ein, achte aber darauf, daß diese Episoden passend sind, wie z.B. beim *Orestes* der Wahnsinnsanfall[38], der seine Ergreifung veranlaßte, und seine Rettung vermittelst der Reinigung.[39]

c. 17, 4. Vorschriften für den Tragödiendichter.

4. In den *Dramen müssen die Episoden eng begrenzt sein*, das Epos dagegen wird durch sie (gebührend) verlängert. So ist die Geschichte der *Odyssee* nicht eben lang: Ein Mann[40] ist viele Jahre von der Heimat entfernt, er wird von einem Gott[41] feindselig überwacht und findet sich schließlich allein? in seinem Hause lagen inzwischen die Verhältnisse so, daß von Freiern seine Habe verschwendet und seinem Sohne[42] nachgestellt wird. Da kommt der (einst) von Unglücksstürmen Umhergeworfene heim und, nachdem er einigen sich zu erkennen gegeben hatte[43], geht er zum Angriff über, wobei er selbst gerettet wird, während er seine Feinde vernichtet. Dies der eigentliche Kern, alles andere sind Episoden.

KAPITEL XVIII

1. Jede Tragödie besteht aus einer *Lösung* und einer *Schürzung*. Der Schürzung gehören oft Begebenheiten an, die noch außerhalb und einige, die innerhalb der Handlung fallen, das übrige bildet die Lösung. Unter Schürzung

verstehe ich aber diejenige Verknüpfung, die vom Anfang bis zu demjenigen Teil reicht, der die Grenze bezeichnet, von der aus ein Umschwung in Glück oder Unglück sich vollzieht; unter Lösung diejenige vom Umschwung bis zum Schluß. So umfaßt im *Lynkeus* des *Theodektes* die Schürzung die Vorgeschichte, die Wegnahme des Kindes und was unmittelbar darauf folgt, die Lösung dagegen reicht von der Anschuldigung des Mordes bis zum Schluß.

2. Es gibt vier Arten der Tragödie und ebensoviele (?) Teile der Tragödie waren genannt worden, nämlich die verflochtene, die ganz auf Peripetie oder Erkennung hinausläuft, ferner die eine leidvolle Tat enthaltende (pathetische), wie z.B. die *Aias*—und (1456a) *Ixion*dramen, und die auf Charakterzeichnung beruhende (ethische), wie die *Phthiotinnen* und der Peleus, die vierte, einfache erscheint in Verbindung mit den beiden letzteren, wie z.B. die *Phorkiden*, der *Prometheus* und die Stücke, die im Hades spielen. Man sollte nun ganz besonders darnach trachten, alle diese Behandlungsarten sich anzueignen, falls dies aber nicht möglich, so doch die wichtigsten und meisten, zumal man gerade heutzutage die Dichter einer gehässigen Kritik zu unterziehen pflegt. Da es nämlich für jeden Teil (einer Tragödie) vortreffliche Dichter gibt, fordert man, daß der Einzelne die Virtuosität (Spezialität) eines jeden überbieten soll.

3. Von Rechts wegen darf man eine ganz verschiedene Tragödie (im Verhältnis zu einer anderen) als die nämliche ansprechen, selbst wenn sie im Stoff nicht zueinander stimmen. Dieser Fall tritt ein, wenn Schürzung und Lösung dieselben sind. Überhaupt *schürzen viele den Knoten vortrefflich, lösen ihn aber schlecht*. Es ist aber nötig, daß beides im Einklang stehe.

c. 18, 4. Vorschriften für den Tragödiendichter.

4. Der Dichter muß ferner, wie wiederholt bemerkt wurde, sich daran erinnern seine Tragödie nicht episch zu gestalten. Unter episch verstehe ich aber einen vielstoffigen Inhalt, wie wenn jemand z.B. den ganzen Stoff der *Ilias* dramatisieren wollte. Dort (im Epos) erhalten nämlich in Folge seiner Länge die Teile ihre angemessene Ausdehnung, in den Dramen aber wird dies (Verfahren) einen der Erwartung ganz entgegengesetzten Erfolg haben. Ein Beweis dafür ist, daß diejenigen, welche die Zerstörung *Ilions* als Ganzes dramatisierten und nicht einzelne Teile, wie *Euripides*, oder die Sage der *Niobe*, und nicht wie *Aischylos*, entweder durchfielen oder im Wettkampf schlecht abschnitten, hat doch sogar *Agathon* in diesem Punkte allein einen Mißerfolg zu verzeichnen.

5. In Peripetien und in einfachen Handlungen erreichen die Dichter in bewundernswerter Weise die Wirkung, die sie erstreben. Denn diese ist eine tragische und erweckt somit menschliche Teilnahme. Dieser Fall tritt ein,

wenn ein kluger, aber schlechter Mensch, wie *Sisyphos*, hintergangen wird und ein mannhafter, aber ungerechter Charakter ‹wie …› unterliegt. Denn auch das ist in dem Sinne wahrscheinlich, wie es *Agathon* versteht, "*Ist es doch wahrscheinlich, daß vieles Unwahrscheinliche sich ereignet.*"

6. Ferner muß der Dichter den Chor wie einen der *Schauspieler auffassen*, er soll ein (organisches) Glied des Ganzen sein und an der dramatischen Handlung teilnehmen, nicht wie bei *Euripides*, sondern wie bei *Sophokles*. Bei zahlreichen (Dichtern) haben die Chorlieder nicht viel mehr mit der betreffenden Fabel zu tun als mit irgend einer anderen Tragödie. Deshalb lassen sie (sogenannte) Embolima (Einlagen) singen, ein Brauch, den zuerst *Agathon* aufbrachte. Und doch welch' ein Unterschied besteht darin, solche Intermezzi zu singen oder eine Rede aus einem Stück in ein anderes einzufügen [oder gar ein ganzes Episodion]?

KAPITEL XIX

1. Über die anderen Arten (der Tragödie) ist nun gesprochen worden, es erübrigt noch über den *sprachlichen Ausdruck* und die *Gedanken* zureden. Das, was die *Gedanken* angeht, mag in den Büchern über die Rhetorik seinen Platz haben, da dies mehr diesem Untersuchungsgebiet eigen ist. In den Bereich der Gedankenbildung fällt das, was vermittelst der (1456b) Rede bewerkstelligt werden muß, zu deren Funktionen das Beweisen und Widerlegen und die Erregung von Gemütsstimmungen gehört, wie Mitleid oder Furcht oder Zorn oder was es sonst noch derartiges gibt; ferner die Vergrößerung und Verkleinerung von Dingen. Es leuchtet aber ein, daß man auch in den Handlungen dieselben Gesichtspunkte anwenden muß, wennman sie entweder mitleiderregend oder schrecklich oder groß oder wahrscheinlich machen will. Ein Unterschied besteht lediglich darin, daß diese Handlungen ohne (sprachliche) Belehrung sich kundgeben müssen, während die durch die Rede vermittelten von dem Redenden selbst bewerkstelligt werden und ein Ergebnis der Rede sein müssen, denn worin bestände denn sonst die Aufgabe des Redenden, wenn die Gedanken auch ohne Vermittlung der Rede in Erscheinung treten würden?

c. 19, 2. Gedankenbildung. Der sprachliche Ausdruck.

2. Von dem nun, was in das Gebiet des *sprachlichen Ausdrucks* gehört, bilden *einen* Teil der Untersuchung die *Satzarten*, deren Kenntnis übrigens mehr Sache der Vortragskunst ist und desjenigen, der deren Kunsttheorie beherrscht, wie z.B. was Befehl ist und was Wunsch oder Erzählung oder

Drohung oder Frage oder Antwort und was es sonst derartiges gibt. Aus deren Kenntnis oder Unkenntnis kann aber der Dichtkunst keinerlei Tadel, der der Beachtung würdig wäre, erwachsen. Denn wer wird darin einen Fehler erkennen wollen, was *Protagoras* rügt, daß (Homer) z.B. in der Meinung eine Bitte auszusprechen befiehlt, indem er sagt: *Singe, o Göttin, den Zorn*[44], denn, so behauptet er, jemanden auffordern etwas zu tun oder nicht zu tun sei ein Befehl.

<hr>

KAPITEL XX

c. 20, 1. Der sprachliche Ausdruck.

1. Der *sprachliche Ausdruck in seiner Gesamtheit* enthält folgende Teile: den *Buchstaben*, die *Silbe*, das *Bindewort*, den *Artikel*, das *Nennwort* (Substantiv), das *Zeitwort* (Verbum), die *Beugung* (Flexion) und den *Satz* (Wortgefüge). Der *Buchstabe* ist ein unzerlegbarer Laut, aber nicht in allen Fällen, sondern nur, wenn aus ihm naturgemäß ein zusammengesetztes Lautgebilde sich entwickeln kann, denn auch Tiere haben unzerlegbare Laute, von denen ich keinen einzigen als einen zusammengesetzten oder einen Buchstaben bezeichne. Die Teile dieses Lautes sind der *Selbstlauter* (Vokal), der *Nichtlauter* (Muta) und der *Halbvokal* (Liquida).

Ein *Vokal* hat einen hörbaren, ohne Anlegung (der Zunge) an die Lippen oder die Zähne gebildeten Laut, der *Halbvokal* hat einen mit Anlegung (der Zunge) gebildeten, hörbaren Laut, wie z.B. R und S, der *Nichtlauter* ist zwar ebenfalls mit Anlegung (der Zunge) gebildet, hat aber für sich keinen zusammengesetzten hörbaren Laut, sondern wird nur hörbar in Verbindung mit solchen, die irgend ein zusammengesetztes Lautgebilde haben, wie z.B. G und D.

Diese Lautgebilde unterscheiden sich nun wiederum nach den Mundbildungen und den Mundstellen, durch den rauhen und leichten Hauch (Spiritus asper und lenis), durch Länge und Kürze (Quantität), endlich durch Tonhöhe und Tiefe und das Mittlere. Die Erörterung über diese Dinge im Einzelnen gehört aber in das Gebiet metrischer Untersuchungen.

2. Die *Silbe* ist ein zusammengesetzter, bedeutungsloser Laut, gebildet aus einer Muta ‹oder Liquida› und einem Vokal, denn G + R ohne A bildet keine Silbe, wohl aber mit A, wie in GRA. Jedoch die Erörterung auch dieser Unterschiede ist Sache der Metrik.

3. *Bindewort* ist ein zusammengesetztes, bedeutungsloses (1457a)

Lautgebilde, wie z.B. *men* (= zwar), *eîoi* (= wahrlich), *dê* (= aber), oder aber ein Lautgebilde, das dazu bestimmt ist, aus mehreren Lautbilden eines Lautes (?) einen einzigen bedeutsamen Laut (?) herzustellen.

4. *Artikel* ist ein zusammengesetztes, bedeutungsloses Lautgebilde, welches Anfang oder Ende oder die Gliederung eines Satzes anzeigt, wie z.B. *amphi* (= um), *perí* (= über) usw. oder[45] aber ein zusammengesetztes bedeutungsloses Lautgebilde, welches einen einzigen bedeutungsvollen und aus mehreren Lauten entstandenen Laut weder verhindert noch hervorbringt und naturgemäß sowohl an die Spitze wie auch in die Mitte (des Satzes) sich stellen läßt.

5. *Substantiv* ist ein zusammengesetztes, bedeutsames Lautgebilde ohne Zeitbestimmung, von dem kein Teil an und für sich etwas bedeutet, denn in zusammengesetzten Wörtern gebrauchen wir ihre Teile nicht als an und für sich bedeutsam, wie z.B. in *Theodoros* (= Gottesgeschenk) *dōros* keine (selbständige) Bedeutung hat.

c. 20, 6. Der sprachliche Ausdruck.

6. *Verbum* ist ein zusammengesetztes, bedeutsames Lautgebilde mit Zeitbestimmung, von dem kein Teil ebenso wie beim Substantivum an und für sich Bedeutung hat. So bezeichnet *Mensch* oder *weiß* nicht das Wann, dagegen *er geht* oder *er ist gegangen gangen* oder *er wird gehen* bezeichnet die Gegenwart Vergangenheit und Zukunft.

7. *Beugung* (*Flexion*) bezieht sich auf das Substantivum oder das Verbum und bezeichnet teils das Wessen (= Genetiv) oder Wem (= Dativ) und anderes der Art, teils die Einzahl oder Mehrzahl, wie *der Mensch* oder *die Menschen*, teils endlich die Ausdrucksweisen, wie z.B. Frage und Befehl, denn *ging er?* oder *geh*! ist eine Flexion des Verbums nach diesen Modalitäten.

8. Das *Wortgefüge* (Satz) ist ein zusammengesetztes bedeutsames Lautgebilde, von dem einige Teile an und für sich etwas bedeuten, denn nicht jedes Wortgefüge besteht aus Verben und Substantiven, wie z.B. die Definition des Menschen[46], sondern es kann auch ohne Verba ein Satzgefüge entstehen, aber es wird dennoch stets irgend einen bedeutsamen Bestandteil enthalten, wie z.B. *Im Gehen, Kleon, der Sohn des Kleon*.

9. Eine Einheit kann aber auch das Wortgefüge auf zweifache Weise sein, entweder nämlich, daß es (an sich) ein Einheitliches bezeichnet oder aber, daß dieses aus der Verbindung von mehreren entsteht. So ist z.B. die *Ilias* eine Einheit durch eine solche Verbindung der Satz vom Menschen aber dadurch, daß er (aus sich) eine Einheit bezeichnet.

KAPITEL XXI

1. Von den *Arten des Substantivs* sind die einen *einfach*, die anderen *zweiteilig*. Unter einem einfachen verstehe ich ein solches, das aus nicht bezeichnenden Teilen besteht, wie z.B. *Erde* (Gé), unter diesem ein solches, das einerseits aus einem bezeichnenden und einem nichtbedeutsamen Teil besteht, nur daß innerhalb des (zweiteiligen) Substantivums der bezeichnende und nichtbedeutsame Bestandteil nicht in Betracht kommt, andrerseits sich nur aus bezeichnenden Bestandteilen zusammensetzt. Es gibt freilich auch ein dreifaches und vierfaches Kompositum, ja sogar ein vielfaches, wie viele Bildungen der Massalioten, z.B. *Hermokaikoxanthos*. (1457b)

2. Jedes Wort ist entweder ein *allgemein gebräuchliches* oder eine *Glosse* oder eine *Metapher* oder eine *schmückende Bezeichnung* oder ein *neugebildetes* oder ein *gedehntes* oder ein *verkürztes* oder ein *umgewandeltes*.

3. Unter einem *allgemein gebräuchlichen* Wort verstehe ich, was jedermann gebraucht, unter einer *Glosse* das, was Fremde gebrauchen, so daß offenbar ein und dasselbe Wort sowohl eine Glosse wie allgemein gebräuchlich sein kann, nur freilich nicht bei denselben Personen. So ist *Sígynon* (= Wurfspieß) bei den *Kypriern* allgemein gebräuchlich, bei uns aber eine Glosse, und umgekehrt *dory* (= Wurfspieß) bei uns allgemein gebräuchlich, bei den *Kypriern* dagegen eine Glosse.

c. 21, 4. Der sprachliche Ausdruok.

4. Eine *Metapher* besteht darin, daß man einem Worte eine ihm (ursprünglich) nicht zukommende Bedeutung beilegt, sei es (1) von der Gattung auf die Art oder (2) von der Art auf die Gattung oder (3) von der Art auf eine (andere) Art oder endlich (4) auf Grund einer Proportion.

Als Beispiel von der Gattung auf die Art nenne ich "Hier steht mein Schiff"[47], denn "vor Anker liegen" bezeichnet das "Stehen" eines bestimmten Gegenstandes

(1) Von der Art auf die Gattung: "*Ja, der zehntausend herrliche Taten vollbrachte, Odysseus*".[48] Diesen Ausdruck "zehntausend" braucht er (der Dichter) nämlich statt "viele".

(2) Von der Art auf die Art z.B. "*Mit dem Erze abschöpfend die Seele*" und "*abschneidend (von fünf Brunnen) mit dem unverwüstlichen ehernen Kruge*,[49] denn dort bezeichnet das "Wegschöpfen" ein "Schneiden", hier dagegen das "Schneiden" ein "Wegschöpfen", beides sind aber (besondere) Bezeichnungen für etwas "wegnehmen".

(3) Eine *Proportion* nehme ich an, wenn das Zweite (B) sich zum ersten (A)

ebenso verhält, wie das vierte (D) zum dritten (C). Dann wird man an Stelle des zweiten (B) das vierte (D) oder an Stelle des vierten (D) das zweite (B) nennen können. Zuweilen fügte man auch das, an dessen Stelle man etwas nennt, zu dem mit ihm in einem gewissen Verhältnis stehenden hinzu (+ A oder + C). Ich meine z.B., die Trinkschale (B) verhält sich zu *Dionysos* (A) genau so wie der Schild (D) zu *Ares* (C). Man wird mithin die Trinkschale (B) den Schild des *Dionysos* (D + A) und den Schild (D) die *Trinkschale des Ares*[50] (B + C) nennen können. Oder, was das Greisenalter (D) zum Leben (C), das ist der Abend (B) zum Tage (A). Man wird mithin den Abend (B) als das Greisenalter des Tages (D + A) oder auch [wie Empedokles] das Greisenalter (D) den Abend des Lebens (B + C) oder den *Untergang des Lebens*[51] nennen können.

Bei einigen Metaphern gibt es keine Bezeichnung für das proportionale Glied, trotzdem wird man sich in ähnlicher Weise ausdrücken können. Z.B. heißt den "Samen ausstreuen" "säen", dagegen gibt es für "Flamme ausstreuen" von Seiten der Sonne keine eigene Bezeichnung aber dies (Ausstreuen der Flamme) (B) verhält sich zur Sonne (A) ebenso wie das "Säen" (D) zu dem "Samen ⟨Ausstreuenden⟩ (C) und deshalb sagt (der Dichter): *Säend die gottgeschaffene Flamme* (D + A)[52].

Nun kann man aber diese Art der Metapher auch noch in einer anderen Weise anwenden, indem man einem Gegenstande Fremdartiges unterlegt und ihm dadurch zugleich etwas von seinen eigentümlichen Eigenschaften abspricht, so z.B., wenn man den Schild zwar eine Trinkschale, aber nicht des *Ares*, sondern "weinlos" nennen würde.

5. ⟨*Die schmückende Bezeichnung…*⟩

6. Ein *neugebildetes Wort* ist, was von niemandem überhaupt (vorher) gebraucht der Dichter selbst (dem Sprachschatz) hinzufügt, denn es scheint einige Wörter dieser Art zu geben, wie z.B. statt "Hörner" *érnyges*(= Sprossen)[53] und statt "Priester" arētēr (=Beter)[54].

c. 21, 7. Der sprachliche Ausdruck.

7. Das verlängerte und verkürzte Wort betreffend, (1458a) so entsteht ersteres durch die Anwendung eines längeren Vokals als dem Worte zukommt oder durch Hinzufügung einer Silbe, letzteres, wenn ihm etwas entzogen wird. Ein verlängertes Wort ist z.B. *poleōs* (= Stadt) neben *poleōs* und ⟨*Pēleōs* neben⟩ *Pēleos* und *Pēlēiádeō* ⟨neben *Pēleidou*⟩; ein verkürztes z.B. *krí* (= kríthē "Gerste") und *dō* (= dōma "Haus") und

Eins wird beider Anschau (= Anschauung, *ops* für *opsis*).[55]

8. *Umgewandelt* ist endlich ein Wort, wenn man den einen Teil beibehält,

43

einen anderen aber hinzufügt, wie z.B. unter der *"rechteren"* *Brust*[56], statt der rechten (*dexíteron* = *déxion*).

9. Von Substantiven selbst sind die einen *männlich*, andere *weiblich*, wieder andere *dazwischen* (= sächlich). Männlich sind die, welche auf N und E und S ausgehen und solche, die mit letzterem zusammengesetzt sind, deren es zwei gibt, Xi (= Ksi) und Psi; weiblich, die auf Vokale, die stets lang sind, nämlich auf Eta und Omega (ē u. ō), und auf A, unter den Vokalen, die verlängert werden können, ausgehen. So trifft es sich, daß die Anzahl der Endungen für die männlichen und weiblichen die gleiche ist, denn *Xi* und *Psi* sind nur zusammengesetzt. Auf einen Stummlauter (Muta) endet kein Substantivum, noch auf einen stets kurzen Vokal. Auf "i" nur drei, nämlich *méli* (Honig), *kómmi* (Gummi), *péperi* (= Pfeffer), auf y ("ü") fünf, nämlich *dóry* (= Lanze), *pōy* (= Herde), *nápy* (= Senf), *góny*(= Knie), *ásty* (Stadt). Die sächlichen enden auf dieselben Buchstaben sowie auf N und S, wie z.B. *déndron* (= Baum) auf N und *génos* (= Geschlecht) auf S.

KAPITEL XXII

1. Die *Güte des sprachlichen Ausdrucks* be steht darin, daß er *klar* und *nicht flach* (banal) ist. Am klarsten ist er nun freilich, wenn er sich nur allgemein gebräuchlicher Wörter bedient, was aber Flachheit mit sich bringt. Ein Beispiel dafür bietet die Dichtung des *Kleophon* und die des *Sthenelos*. Erhaben und das Gewöhnliche (Alltägliche abstreifend wird er durch die Anwendung fremdartiger Wörter. Unter einem fremdartigen Wort verstehe ich die Glosse, die Metapher, die Erweiterung und überhaupt alles, was sich von dem Alltäglichen entfernt.

2. Wollte aber jemand in lauter derartigen Wörtern dichten, so wird sich entweder ein *Rätsel* oder ein *Kauderwelsch* (Barbarismus) ergeben und zwar, falls in Metaphern, ein *Rätsel*; falls in Glossen, ein Kauderwelsch. Denn es liegt im Wesen des Rätsels, zwar Tatsächliches zu sagen, aber Unmögliches zu verbinden. Durch die Verknüpfung anderer Wörter kann man dies nicht bewirken, durch eine Verknüpfung von Metaphern aber ist dies möglich, wie z.B.

Einen sah ich mit Feuer das Erz anlöten dem andern[57] und dergleichen. Aus Glossen entsteht (wie gesagt), der Barbarismus ‹z.B. ….›.

Man muß daher diese Formen, nämlich die Glosse, die Metapher, die schmückende Bezeichnung und die übrigen bereits erwähnten Arten in einer gewissen Mischung verwenden. So wird man etwas nicht Alltägliches und nicht Flaches schaffen, das Allgemeingebräuchliche wird dagegen die (nötige) Deutlichkeit verleihen.

3. Aber den keineswegs geringsten Teil zur Klarheit (1458b) des sprachlichen Ausdrucks, ohne darum ins Alltägliche zu verfallen, tragen Verlängerungen, Verkürzungen und Umwandlungen bei. Da sie nämlich anders lauten als das allgemein Gebräuchliche bewirkt das vom Üblichen Abweichende, daß man nichts Alltägliches zustande bringt; durch die Verquickung mit dem allgemein Gebräuchlichen dagegen wird die Klarheit sich ergeben.

4. Deshalb sind diejenigen Nörgler im Unrecht, welche eine derartige Redeweise einer scharfen Kritik unterziehen und den Dichter (Homer) verhöhnen, wie *Eukleides* der Ältere es getan, indem er behauptete, daß es gar leicht sei zu dichten, wenn jemand berechtigt wäre, (Vokale) nach Gutdünken zu verlängern oder zu verkürzen und jenes (Verfahren) in dem Ausdruck selbst verspottete.[58]

Ĕpichár | en[59]⌐*ī̄ | don Mara | thónade bā̆di | zonta (= Aepicharen sah ich gen Marathón spazieren gehen)*

Ouk an | g' ē̆ramen | os ton | keínon | ellē̆ | bŏ̄ron[60] (= *Der wohl kaum in Liebe entbrannte für jenes Niésswurz.*)

Freilich ist ein irgendwie augenfälliges Verfahren dieser Art lächerlich. Aber eine maßvolle Anwendung ist überhaupt eine gemeinsame (Vorbedingung) für alle Teile (des sprachlichen Ausdrucks). Denn wollte jemand geschmacklos, d.h. absichtlich auf die komische Wirkung rechnend, Metaphern, Glossen und die übrigen Arten anwenden, würde er dasselbe erreichen (wie bei jenen Dehnungen).

5. Welch einen *Unterschied die angemessene Verwendung* (dieser Formen) *macht*, möge man am Epos sich veranschaulichen, indem man die *allgemein gebräuchlichen Wörter in den Vers* setzt und auch wenn jemand bei der Glosse, der Metapher und den übrigen Arten die allgemein gebräuchlichen Wörter dafür eintauscht, würde er sehen, daß unsere Behauptung wahr ist. So hat z.B. Euripides denselben jambischen (Trimeter) gedichtet wie *Aischylos* und nur durch das Einsetzen eines einzigen Wortes, nämlich einer Glosse statt eines allgemein gebräuchlichen, üblichen Wortes, bewirkt, daß sein Vers nun trefflich, der *des Aischylos* aber gewöhnlich erscheint. *Aischylos* dichtete nämlich im *Philoktet*:

> *Das Krebsgeschwür, das meines Fußes*
> > *Fleisch frißt.*

Jener (Euripides) setzte an Stelle von "frißt" den Ausdruck "schmaust."

Und ebenso (gewöhnlich würde es sein), wenn jemand in dem Verse

Nun de m'eón olígos te kai outidanós kai aeikés[61]

(*Nun aber ist's so ein Zwerg, so ein nichtsnutz'ges, unschönes Männlein*)

die allgemein gebräuchlichen Wörter einsetzen würde:

Nyn de m'eón mikrós te kai asthenikós kai aeidés

(*Nun aber ist's so ein kleines und schwächliches häßliches Männlein*)

und ebenso statt

díphron t'aikélion katathéis oligén te trápezan[62]

(*Niedersetzend den armsel'gen Stuhl und den winzigen Eßtisch*)

díphron mochtherón katatheís mikrán te trápezan

(*Niedersetzend den schlechten Stuhl und den kleinlichen Eßtisch*)

oder endlich, statt

Ēiones boóōsin[63] (es brüllten die Ufer)
Ēiones krázousin (es schrien die Ufer).

6. So hat auch *Ariphrades* die Tragiker verspottet, weil sie Ausdrücke anwenden, deren sich niemand in der Umgangssprache bediene, z.B. domátōn apó (von den Häusern weg[64], [nicht apó domátōn] (weg von den Häusern) und séthen[65] (= deines, statt su), egó de nin (= ich aber ihn statt autón[66]), und Achilléōs peri[67] (Achilles wegen) [nicht peri Achilléōs] (wegen Achilles) und was dergleichen (1459a) mehr sind. Denn gerade weil alle derartigen Wendungen nicht unter die allgemein gebräuchlichen fallen, verleihen sie dem sprachlichen Ausdruck den Charakter des nicht Alltäglichen. Das wußte aber jener (Spötter) nicht.

7. Ist es nun schon wichtig jede der erwähnten Ausdrucksarten in angemessener Weise zu verwenden, sowohl die Komposita wie die Glossen, so ist doch der metaphorische Ausdruck der bei weitem wichtigste, denn diesen allein kann man nicht von einem anderen lernen, ist dies doch gewissermaßen ein Zeichen von Genialität. Denn gute Metaphern erfinden heißt einen Spürsinn (scharfen Blick) für das Ähnliche (im Unähnlichen) haben.

8. Von den Wortarten selbst nun eignen sich *Komposita* am meisten für die *Dithyramben*, die *Glossen* für die *Heldengedichte*, die *Metaphern* für *jambische Trimeter* (der Tragödie). In Heldengedichten sind alle die genannten Arten anwendbar, in jambische Trimeter dagegen, da sie, soweit wie irgend möglich, den Gesprächston nachahmen, fügen sich nur diejenigen Wortarten, deren jemand auch in der prosaischen Rede sich bedienen würde,

47

der Art sind aber das allgemein Gebräuchliche, die Metapher und die schmückende Bezeichnung.

Über die Tragödie, d.h. über die im Handeln sich vollziehende nachahmende Darstellung mag uns also das Gesagte genügen.

KAPITEL XXIII

1. Was nun die erzählende und in einem (einheitlichen) Versmaß verfaßte nachahmende Darstellung betrifft, so leuchtet es ein, daß diese Stoffe wie in den Tragödien dramatisch angelegt sein müssen, d.h. daß sie sich um eine *einheitliche, eine ganze und in sich abgeschlossene Handlung bewegen müssen*, die Anfang und Mitte und Ende hat, auf daß sie, wie ein einheitliches und vollständiges Lebewesen, die ihr eigentümliche Lustempfindung hervorrufe.

c. 23, 2. Das Epos.

2. Auch ist es klar, daß *diese Kompositionen nicht den Geschichtsdarstellungen ähnlich sein dürfen*, die sich notwendigerweise nicht die Darlegung einer einheitlichen Handlung zum Ziel setzen, sondern die eines einzelnen Zeitabschnittes und alles, was etwa in diesem an einer Person oder an mehreren sich ereignet hat, von welchen Begebenheiten jede in einem beliebigen Verhältnis zu einer anderen steht. So fanden die Seeschlacht bei *Salamis* und die Schlacht der *Karthager* in Sizilien zwar gleichzeitig statt, ohne jedoch auf dasselbe Endziel hinzusteuern. Und so erfolgt auch zuweilen in eng aufeinanderfolgenden Zeitabschnitten das Eine auf das Andere, von denen keines auf ein und denselben Zweck abzielt, wenngleich die meisten (epischen) Dichter dementsprechend verfahren.

3. Deshalb, wie wir schon hervorhoben, dürfte auch darin *Homer* sich als ein gottbegnadeter *Dichter* im Vergleich zu den übrigen erweisen, daß er gar *nicht den Versuch gemacht hat, den ganzen* (Trojanischen) *Krieg*, wiewohl er einen (regelrechten) Anfang und ein (ebensolches) Ende hat, *darzustellen*. Denn gar zu groß und unübersichtlich dürfte der Stoff geworden sein oder, selbst wenn der Dichter sich in bezug auf den Umfang Grenzen auferlegt hätte, so würde der Stoff trotzdem durch seine bunte Fülle allzu verwickelt gewesen sein. Bei dieser Sachlage hat er nur einen Teilabschnitt abgesondert und viele der Begebenheiten in Episoden untergebracht, wie z.B. den Schiffskatalog[68] und andere Episoden, mit denen er seine Dichtung schmückt.

4. Die übrigen (Epiker) dagegen behandelten, was sich in bezug auf eine

einzelne Person oder einen einzelnen Zeitabschnitt abspielte oder, wenn schon auf eine einzige Handlung, so doch eine vielteilige, wie z.b. der Verfasser der *Kyprien* und der der *Kleinen Ilias*. Denn aus einer *Ilias* und *Odyssee* läßt sich nur je eine Tragödie entnehmen oder höchstens zwei, aus den *Kyprien* dagegen viele und aus der *Kleinen Ilias* acht, nämlich das Waffengericht, *Neoptolemos*, (1459b) [Eurypylos] *Philoktet*, Die Bettlerrhapsodie, [Die Lakonierinnen] die Zerstörung *Ilions*, die Abfahrt, *Sinon* und die *Troerinnen*[69].

KAPITEL XXIV

1. Weiterhin muß die *epische Dichtung dieselben Arten haben wie die Tragödie*, denn sie muß entweder einfach oder verflochten, charakterzeichnend (ethisch) oder leidvoll (pathetisch) sein, auch die Teile mit Ausnahme der musikalischen Komposition und der szenischen Ausstattung müssen die nämlichen sein, denn auch das Epos bedarf der Peripetien (Schicksalswendungen), der Erkennungen und der leidvollen Begebenheiten Endlich müssen die Gedanken und der sprachliche Ausdruck kunstgerecht sein.

2. All diesen Forderungen hat *Homer*, sowohl als erster wie in genügender Weise, Eechnung getragen. Denn er hat jedes seiner Gedichte dementsprechend angelegt, die *Ilias* einfach und leidvoll, die *Odyssee* verflochten —beruht sie doch ganz auf Erkennungen—und charakterschildernd. Dazu kommt, daß sie im sprachlichen Ausdruck und in der Gedankenbildung alle (anderen Epen) übertroffen haben.

c. 24, 3. Das Epos.

3. Was nun die *Komposition* anbelangt, so unterscheidet sich die epische Dichtung (von der Tragödie) in betreff ihrer *Ausdehnung* und ihres *Versmaßes*. In bezug auf die *Ausdehnung* dürfte die bereits angegebene Begrenzung hinreichend sein, nämlich, daß man imstande sein müsse Anfang und Ende zu überblicken. Dies wäre der Fall, wenn einerseits die Kompositionea von geringerer Ausdehnung als die der alten (Epiker) wären, andrerseits dem Gesamtumfang der für eine einzelne (Tages-) Vorstellung angesetzten Tragödien gleichkämen.

4. Für die Ausdehnung des Umfangs kommt nun der epischen Dichtung ferner eine gewisse Eigentümlichkeit sehr zu statten, insofern es in der Tragödie (dem Dichter) nicht möglich ist, viele Teile, die sich gleichzeitig

zugetragen haben, nachahmend darzustellen, sondern nur den Teil, der sich auf der Bühne und in Verbindung mit den Schauspielern abspielt. In der epischen Dichtung dagegen als einer erzählenden Darstellung kann man viele sich gleichzeitig vollziehende Teile vorführen, wodurch, falls sie innerlich zusammenhängen der Körper des Dichtwerks stattlicher wird, so daß dieser (vorteilhafte) Umstand seiner Prachtentfaltung dient, den Zuhörer in einen Stimmungswechsel versetzt und das Gedicht durch ungleichartige Episoden erweitert; ist es doch das nur zu rasch sättigende Einerlei, das den Mißerfolg von Tragödien zu verschulden pflegt.

5. Was aber das *Versmaß* anbelangt, so hat sich das heroische (der Hexameter) erfahrungsgemäß als das angemessene erwiesen. Denn wollte jemand in irgend einem anderen Versmaße eine erzählende Dichtung nachahmend darstellen oder gar in mehreren, so würde das unpassend erscheinen. Denn das heroische ist von allen Versmaßen das gemessenste und gewichtvollste, weshalb es auch vorzugsweise Glossen, Metaphern und Zusätze aller Art aufnimmt; sticht doch auch die erzählende nachahmende Darstellung (selbst) gerade darin von anderen dichterischen Darstellungen ab. Der jambische Trimeter und der trochäische Tetrameter haben einen beweglichen Charakter, und zwar eignet sich dieser zum Tanz, jener zum Handeln. Noch verkehrter (1460a) wäre es, wenn jemand allerhand Versmaße untereinander mischen würde, wie dies *Chairemon* getan. Deshalb hat auch noch niemand eine lange (epische) Komposition in einem anderen als dem heroischen Versmaß gedichtet, sondern die Natur selbst hat, wie wir sagten, das jener zusagende Versmaß zu wählen gelehrt.

6. *Homer*, wie er in vielen anderen Dingen lobenswert ist, ist es auch darin, daß er allein unter allen Dichtern nicht im Unklaren darüber ist, *was er selbst zu tun habe*. Der Dichter soll nämlich *so wenig wie möglich in eigner Person reden*, denn nicht nach dieser Richtung hin ist er ein nachahmender Darsteller. Die übrigen (epischen) Dichter dagegen treten durchgängig in eigener Person auf und stellen daher nur weniges und auch das nur gelegentlich nachahmend dar. Jener aber (Homer) führt nach einer kurzen Einleitung sofort einen Mann oder ein Weib oder irgend eine andere Figur ein, und zwar nicht ohne Charaktereigenschaft, sondern mit einem (bestimmt ausgeprägten) Charakter.

c. 24, 7. Das Epos.

7. In der Tragödie muß man das *Wunderbare* darstellen in der epischen Dichtung dagegen hat vielmehr das *Vernunftwidrige*, auf dem in der Hauptsache das Wunderbare beruht, seinen Platz, weil man (daselbst) nicht auf den Handelnden seine Blicke wendet; wie denn z.B. die Vorgänge bei der Verfolgung *Hektors*[70] auf der Bühne dargestellt einen lächerlichen Eindruck machen würden, auf der einen Seite die stillstehenden und nicht verfolgenden

Mannen, auf der anderen einer[71], der abwinkt. Im Epos dagegen bleibt das Widersinnige (eines solchen Vorgangs) verborgen, denn das Wunderbare erregt Wohlgefallen. Ein Beweis dafür ist, daß alle Erzähler übertreiben, in der Absicht damit zu erfreuen.

8. Im besonderen hat *Homer* auch die anderen (Epiker) belehrt, wie man (zweckmäßig) *Unwahres sagen könne.* Dies beruht aber auf einem *Trugschluß.* Die Menschen glauben nämlich, da, wenn ein erstes (A, die erste Praemisse) ist oder geschieht, auch ein zweites (B, die zweite Praemisse) eintritt, daß nun ebenso, falls das Spätere (B) wirklich ist, auch das Frühere (A) wirklich ist oder geschieht. Das ist aber ein Fehlschluß. Falls nämlich das erste (A) falsch ist, etwas anderes (B) aber—die Richtigkeit des ersten (A) vorausgesetzt-—otwendigerweise wirklich ist oder geschieht, so muß man eben jenes zweite (B) hinzufügen. Denn weil man weiß, daß dieses (B) wahr ist, schließt unser Geist, daß nun auch das erste (A) wahr ist. Ein Beispiel ist folgendes aus der Badeszene[72] ⟨....⟩

9. Endlich muß man dem *unmöglichen Wahrscheinlichen vor dem möglichen Unglaubhaften den Vorzug geben.* Allerdings darf man nicht die Stoffe auf vernunftwidrige Einzelteile aufbauen, sie sollen wo möglich überhaupt nichts Vernunftwidriges enthalten, wenn aber dies nicht möglich, so möge es (wenigstens) außerhalb der (eigentlichen) Handlung Hegen, wie z.B. (das Vernunftwidrige) im *Oidipus,* seine Unkenntnis nämlich, auf welche Weise *Laios* ums Leben kam[73], aber nicht innerhalb des Dramas, wie z.B. in der Elektra[74] die Berichterstattung über die pythischen Spiele oder in den *Mysern* der Mann, der stumm von Tegea bis Mysien wanderte.[75] Zu sagen, daß sonst die Fabel in die Brüche gehen würde, wäre also lächerlich, man muß eben von vornherein keine derartigen Fabeln anlegen. Hat man es aber dennoch getan und erscheint das Stück im allgemeinen glaubwürdig, so mag man auch das etwa Vernunftwidrige mit in den Kauf nehmen. Würde doch die Unzuträglichkeit der Szenen in der *Odyssee,* die sich bei der Aussetzung[76] (des schlafenden Odysseus) abspielen (1460b) sofort in die Augen fallen, wenn ein minderwertiger Dichter sie verfaßt hätte. Wie die Sache aber liegt, hat der Dichter durch andere Vorzüge das Vernunftwidrige versüßt und dadurch (dem Bewußtsein) entrückt.

10. Dem *sprachlichen Ausdruck* soll der Dichter seine *besondere Sorgfalt in den inhaltsleeren Teilen zuwenden,* d.h. solchen, die weder durch Charakterschilderung noch durch Gedanken sich auszeichnen. Andrerseits würde freilich ein allzu glänzender Stil sowohl die Charakterzeichnung wie den Gedankeninhalt verdunkeln.

KAPITEL XXV

1. Über die *Probleme*[77] (kritische Bedenken) und deren *Lösungen* (Widerlegungen), auf wie vielen und wie beschaffenen Gesichtspunkten sie beruhen, wird man sich durch folgende Betrachtung ein klares Bild machen können. Da nämlich der Dichter ebenso wie der Maler oder irgend ein anderer bildschaffender Künstler ein nachahmender Darsteller ist, so muß er notwendigerweise stets eine bestimmte von *drei* möglichen Arten nachahmend darstellen, nämlich entweder (1) *wie die Dinge waren oder sind* oder (2) *wie man sagt, daß sie seien* oder *wie sie zu sein scheinen* oder (3) *wie sie sein sollen.* Diese Dinge werden nun dargestellt durch die allgemein gebräuchliche Ausdrucksweise oder auch durch Glossen und Metaphern oder was es sonst noch von Wandlungen des sprachlichen Ausdrucks gibt, denn diese (Freiheiten) gestatten wir ja den Dichtern.

2. Dazu kommt ferner, daß die *Richtigkeit in der Politik und der Dichtkunst* sowenig als in irgend einer anderen Kunst oder Wissenschaft und der Dichtkunst *ein und dasselbe bedeutet.* In der Dichtkunst selbst gibt es *zweierlei Fehler,* der eine betrifft ihr *Wesen,* der andere ist rein *äußerlich.*

3. Hat sich der Dichter zum Vorwurf genommen ‹etwas richtig› nachahmend darzustellen, ‹verfehlt aber sein Ziel› aus eigenem Unvermögen, so liegt der *Fehler in der Dichtkunst selbst*; wenn er dagegen den Vorwurf richtig gestellt, aber Unmögliches geschildert hat, wie z.B. ein Pferd, das mit beiden rechten Beinen zugleich ausschreitet, oder was sonst in jeglicher Kunst, wie der Medizin oder irgend einer anderen, welcher Art auch immer, ein Fehler sein würde, so betrifft dieser *nicht das Wesen* der Kunst. Man muß daher nach diesen Gesichtspunkten die tadelnden Einwürfe in den Problemen betrachten und lösen (widerlegen).

4. Erstens also was die *Lösungen* in bezug auf die gegen die Kunst als solche gerichteten Einwürfe betrifft Wenn *Unmögliches* dargestellt wurde, so liegt zwar ein Verstoß vor, aber die Sache hat doch ihre Richtigkeit, falls damit der Zweck der Dichtung erreicht wird; der Zweck nämlich ist, wie bereits erwähnt wenn der Dichter eine erschütterndere "Wirkung, sei es in dem betreffenden Teil oder in einem anderen, damit erzielt. Ein Beispiel bietet jene Verfolgung des *Hektor.*[78] Wenn es aber möglich war, den Zweck, sei es in höherem oder geringerem Grade, auch entsprechend der in diesen Dingen herrschenden Kunstregel zu erreichen, so hat es mit dem Fehler nicht seine Richtigkeit, denn, wenn es irgendwie angeht, soll überhaupt keinerlei Fehler begangen werden.

5. Man kann ferner die Frage aufwerfen, *worin denn* der Fehler begangen ist, *ob gegen die Kunstregel* oder *irgend etwas anderes Zufälliges*; denn weit geringer ist das Versehen, wenn jemand z.B. nicht wußte, daß die Hindin keine Hörner hat[79], als wenn er sie ohne (eigentlich) nachahmend darzustellen gezeichnet hätte.

6. Wenn ferner getadelt wird, daß die Darstellung nicht wahr sei, müßte man den Einwand so entkräften: Aber *vielleicht wie sie sein sollte*, wie ja auch *Sophokles* gesagt hat, er stelle Menschen dar, wie sie sein sollen, *Euripides* aber, wie sie sind.

c. 25, 7. Probleme und Lösungen.

7. Läßt sich aber keins von beiden behaupten, so kann man sich darauf berufen, daß *man eben so sagt*, wie in den Erzählungen über die Götter. Vielleicht ist es aber weder besser sie so darzustellen, noch der Wahrheit entsprechend, sondern es verhält sich möglicherweise damit so, wie es bei *Xenophanes* lautet[80] (1461a) ‹….›, dann (erwidere man), allein man sagt nun einmal so.

8. Anderes wiederum ist zwar *vielleicht nicht zweckmäßiger, aber es war tatsächlich einmal so*, wie z.B. das über die Waffen Gesagte: "*Aber die Lanzen | standen empor auf dem Fuße des Schaftes*[81], solchen Brauch nämlich befolgte man damals, wie auch heute noch die Illyrier.

9. In der Beurteilung der Frage, *ob das von jemand Gesagte oder Getane sittlich gut oder nicht ist*, muß man nicht nur die Handlung und die Eede selbst in Betracht ziehen und darauf achten, ob sie edel oder gemein ist, sondern auch den Handelnden oder Redenden ins Auge fassen (und untersuchen) im Verhältnis, zu wem oder wann oder zu wessen Gunsten oder zu welchem Zweck (es geschieht), z.B., ob eines größeren Gutes wegen, das erreicht, oder eines größeren Übels wegen, das verhütet werden soll.

10. Andere Einwände muß man durch Beobachtung des *sprachlichen Ausdrucks* beseitigen, z.B. durch Annahme einer *Glosse*. "*Die Mäuler zuerst.*"[82] Vielleicht meint nämlich (der Dichter) mit dem Worte *ourēas*, nicht "Maultier", sondern die "Wächter". Und von Dolon sagt er: "*Der von Gestalt (eidos) zwar häßlich*"[83]. Damit bezeichnet er nicht einen unebenmäßigen Körper, sondern ein häßliches Gesicht; gebrauchen doch die *Kreter* das Wort *eueides* (= schöngestaltet) im Sinne von *euprosōpon* (= schön von Antlitz). Ferner, "*Mische reineren Wein*" (zōróteron),[84] d.h. nicht ungemischten Wein, wie für Trunkenbolde sondern (mische) "schneller."

11. Ein anderes ist *metaphorisch* gesagt z.B.

"*Alle nunmehr, so Götter wie rossegerüstete Krieger*

53

Schliefen die ganze Nacht"

und doch heißt es unmittelbar darauf

> "*Siehe, so oft er sein Aug' hinwandte zum troischen Felde.*
> *Der Syringen und Pfeifen Getön und der Menge.*"[85]

Jenes, "*Alle*" wird an Stelle von "Viele" metaphorisch gesagt, denn ein "Alles" ist nur eine Art des "Vielen".

Auch jenes "*allein nicht teilnimmt*"[86] ist metaphorisch zu verstehen, denn das "bekannteste" ist (hier) das "alleinige".

12. Ferner kann man auf Grund der *Prosodie* (Einwände widerlegen), wie *Hippias* der Thasier dies tat in jenem "*wir gewähren* (dídomen) *ihm aber*"[87] und "*Das zum Teil durch den Regen verfault*"[88].

c. 25, 13. Probleme und Losungen.

13. Wieder anderes vermittelst der *Interpunktion*, wie z.B. *Empedokles*[89] sagt:

> "*Schnell erwuchs als sterblich, wasfrüher unsterblich sich wußte,*
> *Und als gemischt, was lauter zuvor.*"

14. Anderes sodann durch die Annahme einer *Amphibolie* (Doppelsinn):

> "*Von der Nacht entschwand der größere Teil*"[90]

denn der Ausdruck "größere" (*pleíō*) ist doppelsinnig.

15. Andere *Bedenken* (lösen sich) mit Berufung auf den *Sprachgebrauch*: Ein Mischgetränk, sagt man, sei Wein.

Nach diesem Gesichtspunkt wurde gebildet:

> "*Schiene von neubereitetem Zinne*"[91],

nennt man doch die Eisenschmiede auch Kupferarbeiter.

Wiederum nach demselben Gesichtspunkt heißt es: Ganymed Ganymed
> "*schenkt dem Zeus Wein ein*"[92],

obwohl sie (die Götter) keinen Wein trinken[93]. Doch könnte man dieses Beispiel auch als Metapher auffassen.

16. Man muß auch, wenn ein Wort etwas *Widersprechendes* zu bezeichnen scheint, untersuchen, wie vielfach es diesen Sinn an der (betreffenden) Stelle haben kann, wie z.B. in jenem "*Da hielt die eherne Lanze an*"[94], wie vielfach es dort den Sinn "hemmen" annehmen kann.

17. Ob so oder wie jemand die Sache vorzugsweise (1461b) auffassen

möchte, ist zu erwägen, im Gegensatz zu dem Verfahren, von dem *Glaukon* berichtet. Einige gehen von grundlosen Voraussetzungen aus und nach dem sie eigenmächtig ein richterliches Urteil gefällt haben, bauen sie Schlüsse darauf und tadeln dann den Dichter, falls sie auf etwas stoßen, das ihrer (vorgefaßten Meinung widerspricht, weil er nicht das gesagt hat, was in ihren Kram paßt. So erging es mit den Erörterungen über *Ikarios*. Man geht nämlich von der Voraussetzung aus, er sei ein *Lakone*. Es schien daher ungereimt, daß *Telemachos*, als er nach *Sparta* kam[95], mit ihm nicht zusammengetroffen sei. Es verhielt sich damit aber vielleicht so, wie die *Kephallenier* berichten. Sie erzählen, daß Odysseus sich bei ihnen seine Frau geholt habe und es sei *Ikadios* und nicht *Ikarios* (sein Schwiegervater). Demnach ist es wahrscheinlich, daß jenes Problem einem Mißverständnis entsprungen ist.

18. Im allgemeinen muß man das *Unmögliche* in der Dichtung entweder auf das *Zweckmäßigere* oder auf die *herrschende Meinung* zurückführen. Denn für die Dichtung ist das glaubhaft Unmögliche dem zwar Unglaubhaften, jedoch Möglichen vorzuziehen Mag es nun auch vielleicht unmöglich sein, daß es solche Personen gibt, wie sie z.B. *Zeuxis* zu malen pflegte, so ist es doch zweckmäßig (sie so darzustellen), denn dem Ideal gebührt der Vorrang.

19. *Das Vernunftwidrige muß man auf das, was die Leute sagen, zurückführen* und man kann es sowohl in dieser Weise rechtfertigen, wie auch damit, daß es zuweilen ja gar nicht vernunftwidrig sei, da es wahrscheinlich ist, daß etwas auch gegen die Wahrscheinlichkeit sich ereignet.

c. 25, 20. Probleme und Lösungen.

20. *Das in widerspruchsvoller Weise Gesagte soll man so prüfen, wie die Widerlegungen in der Dialektik*, ob es sich um das Nämliche oder ob es in derselben Beziehung oder derselben Art und Weise gilt, mithin auch der *Dichter* entweder gegen das, was er selbst sagt, oder gegen das, was ein vernünftiger Mensch voraussetzen würde, (sich in Widerspruch verwickeln darf).

21. Gerecht dagegen ist der Tadel, sowohl gegen Vernunftwidrigkeit wie Schlechtigkeit, wenn (der Dichter) ohne jeden äußeren Zwang sich des Vernunftwidrigen bedient, wie z.B. Euripides im Falle des *Aigeus*[96], oder der Charakterschlechtigkeit, wie im *Orestes*[97] der des *Menelaos*.

22. Die Einwendungen ergeben sich demnach aus *fünf Arten*, denn entweder *tadelt* man etwas als *unmöglich* oder als *vernunftwidrig* oder als *sittenverderblich* oder als *widerspruchsvoll* oder als *einen Verstoß gegen die technische Kunstrichtigkeit*. Die *Lösungen* (Widerlegungen) aber sind nach den aufgezählten Unterabteilungen zu betrachten deren es *zwölf* gibt.

KAPITEL XXVI

1. Man könnte nun die Frage aufwerfen, *ob die epische nachahmende Darstellung oder die tragische die vorzüglichere sei.* Ist nämlich die minder plumpe die vorzüglichere, der Art ist aber die, welche auf ein besseres (gebildeteres) Publikum Bezug nimmt, so ist offenbar diejenige nachahmende Darstellung, die sich an Krethi und Plethi wendet, eine plumpe. In der Überzeugung nämlich, die Zuschauer würden kein Verständnis (für die Darstellung) zeigen, falls er (der Schauspieler) nicht seinerseits etwas dazu beiträgt, so bewegen sich diese in starken Verrenkungen; es wälzen sich z.B. die stümperhaften Flötisten, wenn es gilt den Diskuswurf nachahmend darzustellen und zerren den Chorführer (am Gewände), wenn sie die *Skylla* blasen.

2. Die Tragödie ist nun der Art, wie auch die älteren Schauspieler ihre Nachfolger beurteilten, denn *Mynniskos* nannte den *Kallipides*, weil er gar zu sehr übertrieb, einen *Kallias*[98] und in einem ähnlichen (üblen) Rufe stand auch *Pindaros*. Wie sich nun (1462a) jene (älteren Schauspieler) zu diesen verhalten, so verhalte sich die ganze (tragische) Kunst zur epischen Dichtkunst. Diese, so behauptet man, wende sich an hochstehende Zuschauer, die keiner (tänzelnden) Bewegungen bedürfen, die tragische dagegen an niedrige. Wenn sie demnach eine plumpe Kunst ist, so sei sie offenbar auch die tiefer stehende.

3. Allein *erstens* ist das eine Anklage *gar nicht gegen die Dichtkunst, sondern gegen die Vortragskunst*, denn es kann auch der Rhapsode durch Bewegungen übertreiben, wie dies *Sosistratos* getan und (ebenso) bei den musischen Wettkämpfen, wie dies *Mnasitheos* der Opuntier getan. Sodann ist keineswegs jede Körperbewegung zu verwerfen, da ja auch der Tanz nicht verworfen wird, sondern nur die Bewegung von Stümpern, wie ja auch *Kallipides* getadelt wurde und heutzutage andere, weil sie freie Frauen nachahmend darzustellen nicht verständen.

c. 26, 4. Vorzug der Tragödie vor dem Epos.

4. Ferner erreicht die Tragödie auch ohne (schauspielerische Bewegung *ihren Zweck, genau so wie die epische Dichtung*, denn schon durch die bloße Lektüre zeigt sie, von welcher Art sie ist. Wenn sie also im übrigen wenigstens (dem Epos) überlegen ist, braucht ihr jedenfalls jener Tadel nicht notwendig anzuhaften.

5. Sodann (2) (ist sie überlegen) *weil sie alles besitzt was die epische Dichtung hat*, denn auch dasselbe Metrum kann sie anwenden und darüber

hinaus hat sie einen nicht unbedeutenden Teil an der musikalischen Aufführung und den szenischen Ausstattungen durch welche die Lustempfindungen überaus lebendig verwirklicht werden. Sodann übt sie diese lebendige Wirkung auch aus sowohl bei der Lektüre wie bei den (tatsächlichen) Aufführungen.

6. Ferner (3) *erreicht die Tragödie das Ziel* (1462b) *der* nachahmenden Darstellung *innerhalb eines kleineren Umfangs*; denn was gedrängter ist, ist angenehmer, als was mit viel Zeitaufwand (wie mit Wasser) vermischt ist. Ich denke dabei an folgendes: Wenn jemand den *Oidipus* des *Sophokles* in so viel Verse setzen würde wie die *Ilias* hat ‹….›.

7. Endlich (4) ist die *epische Dichtung eine weniger einheitliche* nachahmende Darstellung. Beweis dafür ist, daß aus jeder beliebigen nachahmenden Darstellung sich mehrere Tragödien bilden lassen, sodaß, selbst wenn sie (die Epiker) eine einheitliche Fabel schaffen sollten, diese, entweder abgehackt, falls kurz dargestellt oder, falls sie mit der Ausdehnung der (epischen) Versgattung gleichen Schritt hält, wässerig erscheinen würde. Ich meine damit, wenn es (das Epos) z.B. aus mehreren Handlungen sich zusammensetzt wie die *Ilias* viele derartige Teile hat und die *Odyssee*, Teile, die auch für sich schon eine (genügende) Ausdehnung besitzen. Und doch hat er (Homer) diese Gedichte in der denkbar trefflichsten Weise gebaut und es ist seine nachahmende Darstellung, soweit dies nur irgend möglich, die einer einheitlichen Handlung.

8. Wenn demnach sie (die Tragödie) in all diesen (Vorzügen) *überlegen* ist und überdies indem *Ziel* der Kunst—denn diese (Dichtarten) sollen nicht jede beliebige Lustempfindung erzeugen, sondern nur die bereits erwähnte—so leuchtet ein, *daß sie vortrefflicher als die epische Dichtung ist*, indem sie ihren Endzweck vollständiger erreicht.

9. Über die Tragödie also und das Epos sowohl an sich wie über ihre Arten und Bestandteile, wie viele deren sind und wie sie sich unterscheiden, welches die Ursachen ihres Erfolges oder Mißerfolges sind, und über die Probleme und deren Lösungen mag derartiges gesagt sein….

NAMENVERZEICHNIS[99]

Agathon (c. 447—400): c. 9, 5. 18, 4, 5, 6. Berühmter, von Aristoteles hochgeschätzter Tragiker. Sein erster Sieg (417/6) liegt der Rahmenerzählung von Platons Gastmahl zugrunde, an dem er auch als Unterredner teilnimmt.

Seine Selbständigkeit und Originalität kennzeichnen die allerdings nicht lobenswerte Loslösung der Chorgesänge von der Handlung durch Einlegung von Intermezzi (Embolima) und besonders seine völlig freierfundene Tragödie *Anthe*, früher fälschlich *Anthos* "Blume" und seit Welcker oft auch *Antheus* betitelt.

*Aias*dramen: c. 18, 2. Solche gab es außer dem erhaltenen des Sophokles auch von Aischylos ("Waffengericht"), Karkinos, Theodektes, Astydamas d. J., Livius, Ennius, Pacuvius, Accius und Augustus. In dem Wettstreit um die Waffen des Achilles siegte Odysseus. Diese Niederlage nahm sich Aias so zu Herzen, daß er in Wahnsinn verfiel. In diesem Zustande richtete er unter einer Viehherde ein Blutbad an in dem Glauben, seine Feinde, Agamemnon und Odysseus, zu vernichten. Als er dann wieder zu sich kam und seinen Irrtum erkannte, stürzte er sich aus Scham in sein Schwert. Aus dieser Inhaltsübersicht ersieht man, daß Aristoteles das Drama mit Recht zu den pathetischen zählt.

Aigisthos: c. 13, 6. Der Buhle der Klytaimestra, Mörder des Agamemnon und von deren Sohn, Orestes, getötet (Aischylos' Agamemnon und Choephoren, Soph. und Eurip. Elektra).—Die Komödie, auf die hier angespielt wird, war vermutlich von Alexis, einem der berühmtesten Vertreter der sogenannten mittleren Komödie und Zeitgenossen des Aristoteles.

Aischylos (525/4—456): c. 4, 9. In der Poetik kaum berücksichtigt, ja Aristoteles ignoriert sogar den trilogischen Aufbau seiner Dramen, was c. 18, 4 geradezu bestätigt, nicht widerlegt wird.

> *Choephoren*: c. 16, 4. Elektra erschließt die Ankunft ihres Bruders aus der Haarlocke am Altar und aus Fußtapfen. In dem von Aristoteles gebildeten Syllogismus läßt sich nicht erkennen ob zu "ähnlich", "Orestes" oder "mir" zu ergänzen ist. Nach der Art, wie Sophokles, Euripides und Aristophanes auf diese Erkennungsszene anspielen, ist das erstere, mit alleiniger Berücksichtigung der Haarlocke, wahrscheinlicher.

> *Myser*: c 24, 9. Der Held der nicht erhaltenen Tragödie war Telephos, der Sohn des Herakles und der Auge. Er war nach sakralem Brauch zum Schweigen verurteüt, bis er sich von einer Blutschuld gereinigt hatte. Denselben Stoff behandelten Sophokles, Agathon, Nikomachos und auch Euripides, doch spricht das bei Aischylos sehr beliebte Schweigmotiv mehr dafür, daß dessen Drama hier gemeint, ist.

> *Niobe*: c. 18, 4. Wer den ganzen Sagenstoff behandelt hat, wissen wir nicht. Tragödien desselben Titels gab es aber von Sophokles

und einem gewissen Meliton.

Philoktet: c. 22, 5. 23, 4. Nicht erhalten, doch kennen wir seine Behandlung im Vergleich zu der des Sophokles (erhalten) und Euripides aus Dio Chrysostomos.

Phorkiden: c. 18, 2. Ein 339 wieder aufgeführtes Satyrdrama dessen Inhalt unbekannt ist, doch scheint Perseus der Held gewesen zu sein.

Prometheus: c. 18, 2. Es ist nicht zu entscheiden, ob der uns erhaltene oder der "Gelöste Prometheus" hier gemeint ist.

Alkinoos, Mär des: S. Homer.

Alkmeon: c. 13, 4. 14, 4. Ermordete seine Mutter Eriphyle. Ein vielbehandelter Tragödienstoff, so von Sophokles, Euripides, Agathon, Nikomachos, Euaretos, Theodektes und Astydamas d. Älteren (c. 14,5).

[*Amphiaraos*]: S. Karkinos.

Anthe: S. Agathon.

Antigone: S. Sophokles.

Argas: c. 2, 3. Falls die Lesart richtig, wohl identisch mit dem Dichter und Kitharoden, einem Zeitgenossen des Aristoteles. Der Titel des Nomos ist ausgefallen.

Ariphrades: c. 22, 6. Wohl der Verfasser einer Schrift über den tragischen oder den dichterischen Stil überhaupt. Nicht identisch mit dem von Aristophanes gegeißelten Lüstling.

Aristophanes (c. 450—385): c. 3, 2. Die Art der Erwähnung zeigt, daß schon zur Zeit des Aristoteles, der der "alten Komödie" nicht besonders freundlich gesinnt war, Aristophanes bereits als der Hauptvertreter der Gattung anerkannt war.

Astydamas (Ende des 4. Jahrh.): c. 14, 5. Urgroßneffe des Aischylos, sein Sohn gleichen Namens und sein Vater waren ebenfalls tragische Dichter. Er soll 240 Tragödien verfaßt haben, von denen nur 18 Verse erhalten sind, von dem hier genannten "Alkmeon" kein einziger.

A. s. auch unter K.

Chairemon: c. 1, 5. 24, 5. Älterer Zeitgenosse des Aristoteles, gewöhnlich als Verfasser von Lesedramen genannt, zu denen wohl auch sein "Verwundete Odysseus" gehörte den Aristoteles vielleicht in c. 14, 5 im Auge hatte. S. unter Sophokles Odysseus Akanthoplex. Das hier erwähnte polymetrische Gedicht "Der Kentaur" muß eine Art Epyllion, das zum Vortrag bestimmt war, gewesen sein, da es als eine Rhapsodie bezeichnet wird. Wenn es einmal auch als "polymetrisches Drama" zitiert wird, so geschah dies wohl wegen einiger in jambischen Trimetern verfaßten Dialogpartien.

Chionides: c. 3, 4. Der älteste attische Komödiendichter, dessen erster Sieg in das Jahr 487 fällt. Die unter seinem Namen zur Zeit des Aristoteles im Umlauf gewesenen Komödien waren aber Fälschungen. S. auch Magnes.

Choephoren: S. Aischylos.

[*Danaos*]: S. Theodektes.

Dikaiogenes: c. 16, 3. Tragiker und Dithyrambendichter, Zeitgenosse des Agathon. Neben den *Kypriern* wird noch eine Tragödie "Medea" genannt. In jener scheint Teukros der Held gewesen zu sein. Nach dem Tode seines Vaters, Telamon, der ihn verstoßen hatte, kehrte er in seine Heimat Salamis zurück, woselbst sich die hier erwähnte Erkennungsszene zugetragen haben wird. Aus der Art, wie Aristoteles darauf anspielt läßt sich schließen daß er die Tragödie bei seinen Zuhörern als bekannt voraussetzen konnte.

Dionysios: c 2, 2. Berühmter Maler aus Kolophon, Zeitgenosse des Polygnot, mit dem er auch sonst zusammengestellt wurde. Er war ihm in vielem nicht unähnlich, nur daß ihm die Erhabenheit abging, was mit dem ihm hier zugeschriebenen Realismus sich wohl vereinigen läßt.

Dolon: c. 25, 10. Der trojanische Held der sogenannten Doloneia in B. X der Ilias.

Elektra: S. Sophokles.

Empedokles (blühte um 450) aus Agrigent: c. 1, 5 [21, 4]. 25, 13. Berühmter Dichterphilosoph, auch Naturforscher. Arzt, Redner und Priester. Sehr zahlreiche, zum Teil umfangreiche Fragmente erhalten. Wenn er in dem Dialog "Über die Dichter", im Gegensatz zu 1, 5, gerade als Dichter verherrlicht und mit dem Beinamen "homerisch" geehrt wird, so ist dies nur ein scheinbarer Widerspruch, da jenes Loblied vermutlich dem Gesprächsgegner des Aristoteles in den Mund gelegt worden war. Überdies wird er an unserer Stelle von einem anderen Gesichtspunkt aus beurteilt.

Epichares: c. 22, 4. Ein fingierter, aber auch sonst bezeugter Eigenname.

Epicharmos (blühte Ende des 6. Jahrh.): c. 3, 4. Einer der berühmtesten griechischen Komödiendichter, von dessen, wie es scheint, "Dramen" betitelten Werken wir noch sehr zahlreiche Überreste, jedoch nur kleineren Umfangs besitzen. Er war in Krastos (Sizilien), nicht Kos, geboren, wirkte aber als Dichter in dem hybläischen Megara und in Syrakus. Es waren dies dorische Kolonien, daher die Ansprüche der Dorer auf die Erfindung der

Komödie. Das "um vieles älter" darf in dieser tendenziösen Beweisführung nicht zu wörtlich genommen werden.

Eriphyle: S. Alkmeon.

Eukleides: c. 22, 4. Durch den Zusatz "der Alte" von den vielen, auch bekannten Namensvettern unterschieden. Gegen die neuerdings ausgesprochene Vermutung, er sei mit dem berühmten athenischen Archon und Reformator des attischen Alphabets (403) identisch spricht bei Aristoteles, seinem jüngeren Zeitgenossen, gerade jener Zusatz. Eher könnte man an den Begründer der megarischen Philosophenschule, den Freund des Sokrates und Platon, denken.

Euripides (485—407/6): c. 13, 4. 17, 3. 18, 4-6. 25, 6. Der jüngste der drei großen Tragiker. Der häufige Tadel des Aristoteles richtet sich gegen dessen mangelhafte Technik.

(*Elektra*): c. 13, 6. 14, 4. Orestes und Aigisthos. Personen im Drama.

Iphigeneia in Aulis: c. 15, 5. Der hier ausgesprochene Tadel ist von Schiller energisch zurückgewiesen worden.

Iphigeneia, Taurische: c. 14, 9. 16, 2-5. 17, 3.
—: c. 11, 4. 16, 2. Person im Drama, ebenso Orestes in c 11, 4. 16, 2. Dieses Drama und der Oed. Tyr. des Sophokles sind dem Aristoteles die zwei Mustertragödien.

Kresphontes: c. 14, 9. Eines seiner berühmtesten Dramen, das noch zu Plutarchs Zeiten seine erschütternde Wirkung nicht verfehlte und in der Neuzeit sehr oft nachgeahmt wurde (s. Lessing, Hamb. Dram. St 37—50) Der Inhalt ist uns hauptsächlich aus den sog. Fabeln des Hygin (184) bekannt. Merope im Begriff einen im Schlafe liegenden Jüngling, den sie für den Mörder ihres Sohnes Kresphontes hält, mit dem Beil zu erschlagen, erkennt in ihm noch rechtzeitig ihren eigenen Sohn. Beide töten sodann im Verein den Usurpator Polyphontes, der den Gatten der Merope ermordet und die Witwe gezwungen hatte ihn zu heiraten. Vgl. Hamlet und Richard III.

Medea: c. 14, 4. 15, 7. 25, 21. Der Tadel an letzter Stelle bezieht sich doch wohl auf die scheinbar unmotivierte Einführung des Aigeus, nicht auf das so betitelte Drama desselben Dichters.

Melanippe die Weise, im Unterschiede von Melanippe die Gefangene desselben Dichters: c. 15, 5. Die Anspielung bezieht sich auf ihre berüchtigte Verteidigungsrede, in der sie sich mit sophistischen Gründen bemüht, ihrem Vater zu beweisen daß ihre dem Poseidon heimlich geborenen Kinder auch von einer Kuh zur Welt gebracht und gesäugt werden konnten, ohne die Naturgesetze zu verletzen. Die Anfangsworte sind uns zufällig erhalten.

Orestes: c 15, 5. 25, 21. Darin spielt Menelaos eine charakterlose Rolle.

Philoktetes: c. 22, 5. S. Aischylos' Philoktetes.

Troerinnen: c. 23, 4. S. Ilias, die Kleine.

[*Eurypylos*]: S. Sophokles.

Ganymedes: S. Probleme.

Glaukon: c. 25, 17. Wohl ein Grammatiker. Da zahlreiche Schriftsteller denselben Namen tragen, ist eine Identifizierung nicht möglich. Nur an den

Rheginer, den ältesten Homer-erklärer, der überdies Glaukos, nicht Glaukon hieß, darf man schon wegen des Inhalts des Zitats nicht denken.

*Hades*dramen: c. 18, 2. Dramen mit dem Schauplatz in der Unterwelt waren: Aischylos' Sisyphos der Steinwälzer, Euripides' (Kritias?) und Achaios' Peirithoos.

Haimon: S. Sophokles Antigone.

Hegemon v. Thasos (Ende des 5. Jahrh.): c 2, 3. Berühmter Parode und auch Komödiendichter, von Aristoteles zuerst erwähnt, später sehr häufig. Erhalten sind ein längeres Fragment (21 Hexameter) und zwei Trimeter.

Helle: c. 14, 9. Verlorene Tragödie eines wohl berühmten Dichters, da Aristoteles seinen Namen zu nennen nicht für nötig hält. Auch von der hier zugrundeliegenden Sagenversion, die von der sonstigen Überlieferung völlig abweicht, ist uns keine Kunde erhalten, doch wußte man von drei *Söhnen*, die sie dem Poseidon geboren hatte.

Herakleis: c. 8, 2. Heraklesepen dichteten Kinaithon (c. 750), Peisandros (c. 650) und Panyasis, der Onkel des Herodot, 9000 Verse in 14 B. Nur von diesem sind einige Bruchstücke erhalten.

Hermokaikoxanthos: c. 21, 1. Ein aus drei Flußnamen des westlichen Kleinasiens, Hermos, Kaïkos, Xanthos, gebildetes Kompositum. Nach der Lesart der arabischen Übersetzung waren derartige Zusammensetzungen bei den Bewohnern von Massalia (Marseille) üblich und zwar soll die hier erwähnte ein lokaler Beiname des Zeus gewesen sein.

Herodot (blühte um 450): c. 9, 2. Der "Vater der Geschichte". Seine Verwendung als typisches Beispiel verdankt er nicht so sehr der Wertschätzung seitens des Aristoteles, als dem Umstand, daß das vielfach dichterische Kolorit seines Werkes ihn im Zusammenhange ganz besonders zur Exemplifizierung geeignet erscheinen ließ. Der von Aristoteles rein hypothetisch gesetzte Fall ist übrigens bei Livius tatsächlich eingetreten, der von Festus Avienus (4. Jahrh. n. Chr.) in Jamben übertragen wurde.

Hippias von Thasos: c. 25, 12. Nur hier genannt, denn seine Erwähnung bei einem späten Erklärer des Aristoteles, es handelt sich um dasselbe "Problem", geht auf unsere Stelle zurück.

Homer: c. 1, 5. 2, 3. 3, 1-2. 4, 4-6. 8, 3. 15, 9. 23, 3. 24, 2-6-88.

Ilias: c. 4, 6. 8, 3. 15, 7. 18, 4. 20, 9. 23, 4. 24, 2. 25, 4. 26, 7. Die "*Abfahrt*" (c. 15, 6) bezieht sich auf die a.a.O. zitierte Stelle der Ilias, wo durch das Erscheinen der Göttin Athene die Heimkehr des Heeres verhindert wurde.—Schiffskatalog (c. 23, 3). Teiltitel des 2. B. (s.u.).

Odyssee: c. 4, 6. 8, 3. 13, 6. 17, 4. 23, 4. 24, 2-9.26, 7. *Mär des Alkinoos* (c. 16, 3) und *Badeszene* (Niptra, c. 16, 1. 24, 8) sind Teiltitel der Odyssee, die vor der erst später eingeführten Buchzählung im Gebrauch waren. Der Titel umfaßte aber nach c. 24, 8 das ganze 19. B, einschließlich der Begegnung des Odysseus und der Penelope.

Margites c. 4, 4-6. Ein burleskes Epyllion, in dem Hexameter und jambische Trimeter abwechselten. Es schilderte in ergötzlicher Weise einen Tölpel, "der viele Dinge wußte, aber alle schlecht". Als unhomerisch scheint es erst nach Kallimachos (c. 150) erkannt worden zu sein.

Ikadios: c. 25, 17. Dieser angebliche Name des Schwiegervaters des Odysseus, statt des homerischen Ikarios, begegnet nur hier.

Ilias s. Homer.

Ilias, Die Kleine: c. 23, 4. Ein nachhomerisches, dem sogenannten "Epischen Kyklos" angehöriges Epos. Wenn Spätere allgemein einen Lesches von Lesbos als Verfasser nennen, so fällt das aristotelische Zeugnis der Anonymität dagegen entscheidend ins Gewicht. Die Erzählung begann etwa da, wo die homerische Ilias aufhörte (Lösung Hektors) und endete mit dem Fall Trojas und der Erzählung des Schicksals der gefangenen Troerinnen. Die Liste des Aristoteles ist nicht vollständig noch streng chronologisch und vermutlich nach dem Gedächtnis angegeben. Mit zwei Ausnahmen decken sich die Titel mit denen noch nachweisbarer Tragödien.

Waffengericht: S. Aiasdramen.

Philoktet: Von Aischylos, Sophokles, Euripides, Achaios, Antiphon, Philokles, Theodektes dramatisiert.

Neoptolemos (= Eurypylos s. Sophokles): Von Nikomachos.

Bettlerrhapsodie (= Lakonierinnen s. Sophokles).

Ilions Zerstörung: So hieß ein Drama Iophons, des Sohnes des Sophokles und ein Epos des "Kyklos".

Abfahrt des griechischen Heeres nach der Insel Tenedos, vor der Erzählung des Hölzernen Pferdes und der Einnahme Trojas. Ein Drama dieses Titels ist nicht bekannt.

Sinon: S. Sophokles. Durch Vergils Aeneis II allgemein bekannt.

Troerinnen: S. Euripides. Die Schicksale der trojanischen

Gefangenen (Hekuba, Andromache, Kassandra, Polyxena) sind von vielen dramatisiert worden. Erhalten sind neben den Troerinnen nur die Hekuba und Andromache, ebenfalls von Euripides, und Aischylos, Agamemnon (Kassandra).

Iphigeneia: S. Euripides und Polyeidos.

*Ixion*dramen: c. 18, 2. Unter anderen Missetaten versuchte er sich an Hera zu vergreifen und wurde dafür gemartert, indem er an ein geflügeltes, sich ewig drehendes, feuriges Rad gebunden wurde. Der Sagenstoff wurde von Aischylos, Sophokles (?), Euripides, Kallistratos und Timesitheos dramatisiert.

Kallipides: c. 26, 2-3. Berühmter Schauspieler, Zeitgenosse des Sokrates, von dem eine Anzahl Anekdoten überliefert ist.

Karkinos: Der jüngere Tragiker dieses Namens, Zeitgenosse des Aristoteles. Er soll 160 Tragödien verfaßt haben und hat elfmal gesiegt.

Thyestes: c. 16, 1. Nur hier genannt und nicht ohne weiteres mit seiner ebenfalls nur einmal erwähnten Aerope zu identifizieren, da der fruchtbare Tragiker, wie z. B auch Sophokles und Euripides, mehrere Tragödien aus demselben reichhaltigen *agenstoffe behandelt haben kann. Die "Sterne" waren angeblich ein auf der Schulter der Nachkommen des Pelops befindliches, hellglänzendes Zeichen. In welcher Situation es für eine Erkennung benutzt wurde, entzieht sich jeder Vermutung.

[*Amphiaraos*]: c. 17, 1. Der Vater des Alkmeon (s.d.) und Gatte der Eriphyle. Der Name scheint aber nur aus einer Randbemerkung in den Text gedrungen zu sein, da er in der syrisch arabischen Übersetzung fehlt, die überdies einen Zusatz in der griechischen Vorlage voraussetzt, der wohl die jetzt nicht mehr erkennbare Art des Verstoßes deutlicher machte.

Karthager: c. 23, 2. Es handelt sich um den großen Sieg Gelons und Therons über die Karthager bei Himera in Sizilien, der nach Herodot an demselben Tage, wie der griechische Seesieg bei Salamis (27./28. Sept. 480) stattgefunden haben soll. Von diesem bis auf den Tag genauen Synchronismus hält sich Aristoteles frei. Der von ihm geleugnete kausale politische Zusammenhang, den die alten Historiker behaupten, wird auch jetzt wieder, aber, wie es scheint, mit Unrecht, meist gänzlich in Abrede gestellt.

Kentauros: S. Chairemon.

Kephallenier: c. 25, 17. Die Bewohner der dem Odysseus untertänigen Inseln und des Festlandes. Kephallenia als Inselname ist Homer noch unbekannt.

Kleophon: c. 2, 3. 22, 1. Epiker, von dem Aristoteles in der Rhetorik ein Werk *Mandrobulos*, wohl ein Epyllion, nennt. Sonst unbekannt, denn mit dem Tragiker gleichen Namens, von dem 10 Dramentitel überliefert sind, ist er kaum identisch.

Klytaimestra: c. 14, 4. Homer kennt K. weder als Gattenmörderin (so erst seit Stesichoros) noch Orestes als Muttermörder. Diese Sagenversion war aber durch Aischylos so festgewurzelt, daß die ursprüngliche für Aristoteles wohl nicht mehr in Betracht kam, denn sonst wäre das Beispiel im Zusammenhang nicht glücklich gewählt.

Krates: c. 5, 2. Attischer Komödiendichter, zuerst Schauspieler in den Stücken des Kratinos. Er errang seinen ersten Sieg 449. Eine Anzahl Titel und einige Bruchstücke sind erhalten. Er nahm unter den Dichtern der alten Komödie eine Sonderstellung ein, wie schon aus der berühmten Kritik in den Rittern des Aristophanes hervorgeht.

Kreon: S. Sophokles Antigone.

Kreter: c. 25, 10. Aristoteles oder sein Gewährsmann wird die hier mitgeteilte sprachliche Beobachtung einem attisch-kretischen Glossar entnommen haben. S.u. Kyprier.

Kyklop: S. Philoxenos, Timotheos.

Kypria: c. 23, 4. Nachhomerisches, anonymes Epos des Epischen Kyklos in 11 B., vermutlich in Kypros entstanden und schon von Herodot dem Homer abgesprochen. Spätere legten es einem Stasimos oder Hegesias (Hegesinos) bei. Das Gedicht behandelte die Vorgeschichte des trojanischen Krieges, beginnend mit dem Urteil des Paris, und bildete eine Fundgrube für tragische Stoffe. Wir können noch etwa 15 Dramentitel nachweisen, von denen allein 9 auf Sophokles fallen. Erhalten ist nur die Iphigenia in Aulis des Euripides, von dem Epos nur wenige Verse. Daselbst war auch die c. 8, 3 erwähnte Episode erzählt. Odysseus stellte sich wahnsinnig, um dem Zugegen Troja nicht folgen zu müssen, wurde aber durch eine List von Palamedes entlarvt.

Kyprier: S. Dikaiogenes.
—Dialekt der: c. 21, 3: S. Einleitung S. XXIV.

Laios: c. 24, 9. Vater des Oidipus, der ihn unerkannt erschlug und dessen Nachfolger auf dem Thron Thebens wurde. Auf die hier erwähnte Unwahrscheinlichkeit wurde bereits c. 14, 5 angespielt.

[*Lakonierinnen*]: S. Sophokles.

Lynkeus: S. Theodektes.

Magnes: c. 3, 4. Neben Chionides (s.d.) der älteste attische Komiker. Er hat elfmal gesiegt. Uns sind einige Titel erhalten. Es ist zweifelhaft, ob selbst Aristophanes noch Stücke von ihm gelesen hat. Jedenfalls waren etwaige dem Aristoteles bekannte Komödien nicht echt, was die alten Kritiker schon erkannt hatten.

Margites: S. Homer.

Massalioten: S. Hermokaikoxanthos.

Medea: S. Euripides.

Megarer: c. 3, 4. Ihre Ansprüche scheinen nicht unbegründet gewesen zu sein, wenn auch die von Aristoteles selbst zurückgewiesene etymologische Begründung nicht haltbar ist.

Melanippe: S. Euripides.

Meleagros: c. 13, 4. Eine berühmte Sagenfigur und Held der "Kalydonischen Jagd". Bei der Verteilung der Beute erschlägt er die Brüder seiner Mutter Althaia. Sie verflucht ihn darob und verbrennt ein Holzscheit, an das sein Leben geknüpft war, so daß er in jugendlichem Alter stirbt. Der dankbare Mythos, in dem auch Atalante eine bedeutsame Rolle spielt, wurde von vielen Dichtern, insbesondere von den Tragikern, behandelt, so von Phrynichos, Sophokles, Antiphon, Euripides und, nach Aristoteles, von Sosiphanes. Die einzige uns erhaltene dichterische Darstellung ist die des Ovid (met. 8, 270 ff.). Sehr beliebt war die Sage auch in der Kunst (Vasen, Tempelgiebel und Sarkophage).

Menelaos: S. Euripides Orestes.

Merope: S. Euripides Kresphontes.

Mitys: c. 9, 9. Er war in einem Straßenaufruhr getötet worden. Wenn Plutarch angibt, daß die Strafe den Mörder bei einer *Festfeier* ereilte, so beruht dies wohl auf einem Mißverständnis des Wortes "theorunti" ("anschauen"), das Aristoteles sonst nie in seiner sakralen Bedeutung gebraucht.

Mnasitheos: c 26, 3. Ein nur hier erwähnter, in lyrischen Wettkämpfen auftretender Sänger. Dem ganzen Zusammenhang nach wohl ein Zeitgenosse des Aristoteles.

Mynniskos: c. 26, 2. Darsteller von Heldenrollen (Protagonist) in den späteren Tragödien des Aischylos.

Myser: S. Aischylos.

Mysien: c. 24, 9. Provinz im Nordwesten Kleinasiens.

Neoptolemos: c. 23, 4. Sohn des Achilles. S. Ilias, Die Kleine und Sophokles.

Nikochares: c 2, 3. Verfasser eines, wie es scheint, burlesken Epos, der Deliade, nur hier erwähnt. Vielleicht identisch mit dem Komödiendichter, dessen "Lakoner" zusammen mit dem "Plutos" des Aristophanes aufgeführt wurden.

Niobe: S. Aischylos.

Odyssee: S. Homer.

Odysseus, der Verwundete: S. Karkinos und Sophokles.

—, der Trugbote: c. 16, 4. Verfasser unbekannt. Vielleicht ein Satyrdrama.
—, in der Skylla: S. Timotheos.

Oidipus: S. Sophokles.

Orestes: c. 13, 4. Die Sage des O. *Orestes*: c. 13, 4. Die Sage des O.
—: S. Aischylos Agamemnon, Choephoren.
—: S. Sophokles Elektra
—: S. Euripides Elektra, Iphigeneia, Orestes.
—: S. Polyeidos Iphigeneia.

Pauson: c. 2. 2. Attischer Karikaturenmaler aus der zweiten Hälfte des 5. Jahrh. Schon von Aristophanes verspottet und noch Aristoteles warnt die Jugend vor seinen Bildern. Seine Malerei scheint sich demnach lange in der Gunst des Publikums erhalten zu haben.

Peleus: S. Sophokles.

Peloponnesier: c 3, 4. Die Ansprüche, auf die Erfindung der Tragödie gingen, wie es scheint, von den Sikyoniern aus und Spätere nennen einen gewissen Epigenes als den Begründer. Auch Pratinas, der angebliche Erfinder des Satyrspiels, stammte aus Phlius, einer peloponnesischen Stadt.

Philoktetes: S. Aischylos.

Philoxenos (435—380): c. 2, 3. Berühmter Dithyrambiker, geboren in Kythera, lebte dann am Hofe des älteren Dionysios in Syrakus. Er starb in Ephesos. Unter seinen 24 Dithyramben war der berühmteste der "Kyklop" (Werbung um Galateia), wohl die Vorlage von Theokrit, Idyll XI. Er soll unter der Maske des Kyklopen den Dionysios verspottet haben, der ihn zur Strafe dafür in die Steinbrüche sandte. Es sind nur dürftige Überreste erhalten. Hier scheint das Gedicht im Gegensatz zu dem gleichnamigen Dithyrambos oder Nomos des Timotheos als Beispiel der Darstellung schlechterer Charaktere angeführt zu werden.

Phiniden c. 16, 4. Der Verfasser dieses schaurigen Familiendramas ist ebenso unbekannt wie alle Umstände, die zu der hier erwähnten Erkennung führten. Auch wissen wir nicht, ob dadurch die Rettung oder Tötung der Frauen erfolgte. Im übrigen sind wir über die verschiedenartig ausgestaltete Sage gut unterrichtet. Es handelt sich um den König Phineus, der, Verleumdungen seiner zweiten Gemahlin Gehör schenkend, seine erste Gattin einkerkern und seine Söhne martern oder blenden ließ. Sie wurden von den Argonauten befreit und Phineus seinerseits geblendet oder getötet. Es gab eine Tragödie des Namens von dem römischen Dichter Accius und einen Dithyrambos des Timotheos.

Phorkiden: S. Aischylos.

Phthiotinnen: S. Sophokles.

Pindaros: c. 26, 2. Ein nur hier genannter Schauspieler, dem Zusammenhang nach Zeitgenosse des Kallipides (s.d.).

Polyeidos der Sophist: c. 16, 4. 17, 3. Der Name ist äußerst selten, so daß der Zusatz vielleicht nicht nur der Unterscheidung dienen soll. Er war vermutlich identisch mit dem Dithyrambendichter Musiker und Maler. Seine taurische Iphigeneia war ein dramatisch angelegter Dithyrambos wie die Skylla des Timotheos (s.d.) und zweifellos nacheuripideisch.

Polygnotos: 2, 2. 6, 7. Einer der berühmtesten und ältesten griechischen Maler, Sohn des Malers Aglaophon in Tarsos. Seine bedeutendsten Werke malte er in Plataiai, Athen und Delphi (458—447). Von den letzten besitzen wir eine ausführliche Beschreibung bei Pausanias. Als Ethograph wird er noch an einer anderen Stelle des Aristoteles bezeichnet (Politik 8, 5).

Prometheus: S. Aischylos.

Protagoras v. Abdera (c. 485—c. 416): c. 19, 2. Neben Gorgias der bedeutendste der Sophisten. Er war der Gründer der griechischen Grammatik, indem er sich als erster des grammatischen Geschlechts und der verbalen Modi (Indikativ, Imperativ Optativ usw.) wissenschaftlich bewußt wurde. Daß er dabei zuweilen etwas pedantisch zu Werke ging, wie in dem hier erwähnten Falle, ist verzeihlich. Die sensationelle Neuheit seiner Entdeckungen beweist der Spott in den Wolken des Aristophanes.

Pythische Spiele: c. 24, 9. In der Elektra des Sophokles schildert der Paedagogus der Klytaimestra diese in Delphi stattfindenden Spiele, bei denen ihr Sohn Orestes ums Leben gekommen sei. Solche gab es aber damals (11. Jahrh.) noch nicht, wie schon ein alter Erklärer bemerkte. Denselben Anachronismus hatte übrigens der Dichter bereits in seinem Tleptolemos begangen.

Salamis: S. Karthager.

Sinon: S. Ilias, Die Kleine und Sophokles.

Sisyphos: c. 18, 5. Sohn des Aiolos. Galt als der Typ eines überklugen, aber frevelhaften Menschen. Wegen eines an Zeus begangenen Verrats wurde er zu der bekannten Strafe verurteilt, einen Felsen bergaufwärts zu wälzen, der stets kurz vor dem Gipfel wieder hinabrollte. Der vielgestaltige Sagenstoff wurde oft dramatisiert, so von Aischylos, Sophokles, Euripides und Kritias. In welchem von diesen Dramen er überlistet wurde, wissen wir nicht. In der uns bekannten Überlieferung käme dafür nur Hygin, Fab. 60 über Tyro, die von ihm verführte Gemahlin seines Bruders Salmoneus, in Betracht.

Skylla: S. Timotheos.

Sophokles (497/6—406/5): c. 3, 2. 4, 9. 18, 6. 25, 6. Für Aristoteles der künstlerisch vollendetste Tragiker.

> *Antigone*: c. 14, 6. In der erwähnten Szene versucht Hainion, der Bräutigam der Antigone, seinen Vater zu töten, der aber dem Schwertstreich ausweicht. Vgl. Hamlet u. König Claudius am Altar.

> *Elektra*: c. 24, 9. Orestes, Person im Drama: c. 13, 6. 14, 4.

> *Eurypylos*: c. 23, 4. Sohn des Telephos von Neoptolemos getötet. S. Ilias, die Kleine.

> [*Lakonierinnen*]: c. 23, 4. In dem Drama bildeten die spartanischen Dienerinnen der Helena den Chor. Es handelte sich um den Raub des troischen Palladiums durch Odysseus, den Helena trotz seiner Verkleidung als Bettler erkannte. S. Ilias, die Kleine.

> *Odysseus*, der verwundete, c. 14, 5. So hieß ein Drama des Chairemon (s.d.). Das inhaltlich gleiche des Sophokles wird aber stets als *O. Akanthoplex* (der vom Rochenstachel getroffene) zitiert. Telegonos ("Der Ferngeborene"), Sohn des Odysseus und der Kirke kam auf der Suche nach seinem Vater nach Ithaka und verwundete ihn tödlich. Die Erkennung erfolgte dadurch, daß Telegonos in seiner Umgebung zufällig hörte, daß der Getötete Odysseus sei.

> *Oidipus*: c. 11, 1-2. 15, 8. 16, 5. 24, 9. 26, 6. Stets ohne Zusatz bei Aristoteles, der darunter aber nur den Oidipus Tyrannos, nie den Oidipus Coloneus, versteht.
> —: c. 13, 4. 14, 1. Die Sage des Oidipus.
> —: 11, 1. 13, 3. 14, 5. Die Person im Drama.

> *Peleus*: c. 18, 2. Peleus, der greise Vater des Achilles, durch seine Söhne aus erster Ehe vom Thron gestoßen sucht seinen Enkel

Neoptolemos auf und stirbt auf der Insel Kos. Dem Zusammenhang nach war es ein Stück ohne viel Handlung und mehr auf mitleiderregende Begebenheiten aufgebaut. Auch Euripides schrieb einen Peleus und Aristoteles mag auch diesen hier im Auge gehabt haben.

Phthiotinnen: c. 18, 2. Eine, wie oft auch bei Sophokles, nach dem Chor genannte Tragödie unbestimmbaren, wenn auch vielleicht verwandten Inhalts mit dem vorigen. In keinem Fall kann aber der Peleus genau denselben Stoff behandelt haben, gleichviel ob von demselben Dichter oder nicht. Ihn auf zwei Tragödien einer nirgends bezeugten Peleus-Trilogie des Aischylos zu verteilen ist reine Willkür.

Sinon: c. 23, 4. S. Ilias, Die Kleine.

Tereus: c. 16, 2. Tereus vergewaltigte Philomela, die Schwester seiner Gattin Prokne und schnitt ihr die Zunge ab, damit sie ihn nicht anklagen könne. Sie wob aber geschickt in einen Teppich, was ihr widerfahren—dies die "Stimme der Spindel"—und die Schwestern rächten sich an dem Frevler durch die Ermordung seines Sohnes Itys. Den Stoff behandelte auch Philokles, ein Großneffe des Aischylos, und Sieger über den Oidipus Tyrannos des Sophokles.

Thyestes: c. 13, 4. Held in dem gleichbetitelten Drama. S. Thyestes.

Tyro: c. 16, 1. Tyro hatte dem Poseidon heimlich Zwillinge geboren und sie in einer Wanne ausgesetzt. Sie wurden jedoch gerettet, und als sie zu Jünglingen herangewachsen waren, trafen sie mit ihrer Mutter zusammen und wurden von ihr durch eben jene Wanne, die der eine mit sich genommen hatte, erkannt. Darauf rächten sie ihre Mutter für die grausame Behandlung, die ihr Vater Salmoneus und ihre Stiefmutter Sidero ihr hatten zuteil werden lassen. Von den zwei Tragödien dieses Titels war die eine wohl nur eine Neubearbeitung. Denselben Sagenstoff hatten Astydamos d. Jüngere und Karkinos dramatisiert, dessen Kenntnis wir Apollodor (1, 9, 8) verdanken.

Sokratische Gespräche: c. 1, 5. Aristoteles versteht darunter stets nur die Platonischen Dialoge, in denen Sokrates als Hauptunterredner auftritt, nicht aber die von anderen Sokrates-schülern, wie Aischines, Antisthenes, Xenophon, Phaidon verfaßten Gespräche.

Sophron (c. 450): c. 1, 5. Der Begründer einer neuen Literaturgattung des

Mimus, dramatische Szenen aus dem gewöhnlichen Leben darstellend und in einer Art rhythmischer Prosa verfaßt. Er war ein Lieblingsschriftsteller Platons, der seine Werke nach Athen gebracht haben soll. Die erhaltenen Bruchstücke geben uns kein klares Bild seiner Eigenart, wohl aber die Nachahmungen des Theokrit (15. Idyll) und die poetischen Minien des Herondas (c. 250 v. Chr.), die 1891 entdeckt wurden.

Sosistratos: c. 26, 3. Ein nur hier genannter Rhapsode, wohl älterer Zeitgenosse des Aristoteles.

Sthenelos: c. 22, 1. Ein von Aristophanes seines frostigen Stils wegen verspotteten Tragiker (c. 420). Der komische Dichter Platon beschuldigte ihn des Plagiats.

Tegea: c. 24, 1. Stadt in Arkadien, Heimat des Telephos.

Telegonos: S. Sophokles, Odysseus Akanthoplex.

Telemachos: c. 25, 16. Sohn des Odysseus und der Penelope. Seine Reise nach Sparta, um Erkundigungen über seinen Vater einzuziehen, erzählt die sogenannte Telemachie, in der Odyssee B. 3—4, 619.

Telephos: c. 13, 4. Berühmte Sagenfigur, deren mannigfache Schicksale sehr oft dramatisiert wurden, so von Aischylos (s.d.), Sophokles, Euripides, Agathon, Nikomachos, Kleophon, Iophon, Moschion.

Theodektes: 16, 4. 18, 1. Genialer Schüler des Isokrates und Platon, Freund des Aristoteles, Rhetor und hochgeschätzter Tragiker, verfaßte 50 Dramen und war siebenmal Sieger.

Lynkeus: c. 11, 1. 18, 1. Held der Danaidensage. Hypermnestra war die einzige der 50 Töchter des Danaos, die ihren Gatten Lynkeus gegen den Befehl ihres Vaters rettete. Nach der Geburt ihres Sohnes Abas versuchte Danaos Lynkeus zu töten. Im Verlaufe der Handlung ereilte ihn aber in einer für uns nicht mehr genau zu erkennenden Weise das Schicksal, das er jenem zugedacht.

Tydeus: c. 16, 4. Nicht mit dem bekannten Kämpfer unter den "Sieben gegen Theben" identisch. Die hier angedeutete Sage ist uns völlig unbekannt.

Theodoros: c. 20, 5. Nur als Beispiel genannt.

Theseis: c. 8, 2. Theseusepen verfaßten Zopyros, wohl mit dem Orphiker unter Peisistratos (6. Jahrh.) identisch, Diphilos (5. Jahrh.) und ein Anonymus aus unbestimmter Zeit.

Thyestes: c. 13, 4. Eine der am häufigsten dramatisierten Heldengestalten der an tragischen Ereignissen reichen Pelopidensage. So von Sophokles (in zwei Dramen), Euripides, Agathon, Apollodoros, Karkinos (s.d.), Chairemon, Kleophon und den römischen Tragikern, Ennius, Varius, Seneca (erhalten), Curiatius Maternus.

Timotheos v. Milet (†357): c. 2, 3. Berühmter Komponist, Dithyramben und Nomendichter. Ein beträchtlicher Teil seines Nomos "Die Perser" wurde 1902 aufgefunden.

Kyklop: c. 2, 3. S. Philoxenos.

Skylla: c. 15, 5. 26, 1. Ein Dithyrambus, der das in der Odyssee geschilderte Abenteuer behandelt. Der Klagegesang des in Gefahr schwebenden Odysseus wird als unmännlich und dem Charakter des Helden nicht entsprechend gerügt. Der Flötenspieler zerrt den Chorführer am Gewände, um das Bemühen der Jungfrau zu veranschaulichen den Helden zu gewinnen.

Xenarchos: c. 1, 5. Sohn des Sophron (s.d.). Nur hier als Verfasser von Mimen erwähnt.

Xenophanes v. Kolophon (c. 570—479): c. 25, 7. Dichter und Begründer der eleatischen Philosophenschule. Gegner des Polytheismus.

Zeuxis aus Herakleia (Unteritalien), blühte um 425: c. 6, 7. 25, 18. Einer der größten Maler des Altertums. Nach Aristoteles idealisiert sowohl Polygnot wie Zeuxis. Ersterer gab jedoch seinen Gestalten mehr Charakter, weil er mehr das Individuelle Zeuxis das Typische zum Ausdruck brachte.

SACHVERZEICHNIS

Agon: c. 6, 16. 7, 3. 13, 4. Der jährlich zweimal in Athen stattfindende dramatische Wettkampf an den städtischen Dionysien und Lenaeen. Die Aufführung begann am frühen Morgen und dauerte mehrere Tage. Jeder der Mitbewerber trat mit einer Tetralogie (drei Tragödien und einem Satyrdrama) auf.—In den musikalischen Agonen wurden hauptsächlich Dithyramben und Nomen gegeben, auf die c. 26, 3 angespielt wird.—Auch der Redekampf der Parteien im Gerichtssaal hieß Agon. Darauf bezieht sich die Bemerkung über die Wasseruhr (c. 7, 3).

Amphibolie (Doppelsinn): c. 25, 14.

Anagnorisis (Erkennung): c. 11, 2 definiert.

Anapaest und *Trochaeus*, ohne: c. 12, 2. Weil jener ein Marschrhythmus, dieser ein Tanzversmaß, eigneten sie sich nicht für das stehend gesungene Chorlied (Stasimon).

Artikel: c. 20, 4. Bei Aristoteles noch nicht in unserem Sinne gebraucht. So aber schon bei den stoischen Grammatikern. Dies ein schwerwiegender Beweis gegen die Annahme der Unechtheit unseres Kapitels.

Auletik: c. 1, 2. Da der von der Flöte begleitete Dithyrambus unmittelbar vorher genannt wurde, so ist hier darunter die reine Instrumentalmusik zu verstehen.

Beiwort, schmückendes (Kosmos): c. 21, 5. Definition und Beispiel sind ausgefallen, daher die Deutung nicht ganz sicher. Es ist aber wohl das epitheton ornans gemeint, das im Epos allerdings weit gebräuchlicher als im Drama ist.

Beugung (Flexion): c. 20, 7.

Bindewort: c. 20, 3.

Buchstabe: c. 20, 1.

Demokratie in Megara: c. 3, 4. Um 590 v. Chr.

Dithyrambische Dichtung: c. 1, 2. Hier und mit *einer* Ausnahme auch sonst nicht das uralte, noch strophisch gegliederte und inhaltlich beschränkte dionysische Chorlied, aus dem nach c. 4, 8 die Tragödie hervorgegangen sein soll, sondern der halb dramatische Dithyrambus, wie ihn Aristoteles allein noch kannte. Die Flötenspieler scheinen dabei auch schauspielerisch tätig gewesen zu sein (c. 26, 1).

Episode: Mit Ausnahme von c. 12, 2. [18, 6], wo das Wort etwa mit "Akt" gleichbedeutend ist, stets in der auch uns allein gebräuchlichen Bedeutung von einer Zutat, die mit der Handlung oder Erzählung in nur losem oder auch gar keinem Zusammenhang steht.

Flexion: S. Beugung.

Furcht: Definiert c. 13, 2.

Geschlecht: S. Grammatik und Protagoras.

Glosse (Fremdwort, Provinzialismus, Dialektwort): c. 21, 3.

Grammatik (Redeteile, Geschlecht, Kasus, u.ä.): c. 20-21. Trotz mancher grundlegenden Vorarbeiten (S. Protagoras) befand sich die Grammatik noch zur Zeit des Aristoteles in den Kinderschuhen Ihr wissenschaftlicher Ausbau und die Terminologie werden erst den Stoikern und alexandrinischen Philologen verdankt. Der damals festgesetzten Termini bedienen auch wir uns, durch die Vermittlung des Lateinischen, bis auf den heutigen Tag, selbst unter Beibehaltung eines Übersetzungsfehlers (Accusativ statt Causativ).

Wenn man es oft befremdlich gefunden hat, daß derartige scheinbar elementare Dinge in einer Poetik ausführlich behandelt werden, so sei dazu bemerkt, daß Aristoteles selbst einmal sie ausdrücklich als ihr zugehörig bezeichnet hat.

Halbvokal (Liquida): c. 20, 1.

Jambos: c. 4, 5-9. Aristoteles sagt an ersterer Stelle, daß der Jambos sich besonders passend für das Spottgedicht erwiesen habe. An der zweiten, daß ebenso naturgemäß der jambische Trimeter sich schließlich als das für den dramatischen Dialog geeignetste Versmaß herausstellte. Darin liegt aber kein Widerspruch, denn hier wie dort galt es, soweit wie irgend möglich, sich der Umgangssprache anzupassen und über den Gesprächston nicht hinauszugehen.

Katharsis: "Reinigung": c. 6, 2. Die seit Lessing und besonders seit Bernays (s. Einleitung S. XV) umstrittenste Stelle der ganzen Poetik. Selbst über den Ort, wo die von Aristoteles versprochene genauere Erklärung des Ausdrucks gestanden habe, ist noch keine Einigung erzielt worden. Ohne auf die berühmte Kontroverse hier irgendwie näher einzugehen, sei nur so viel im allgemeinen bemerkt, daß an zwei Tatsachen nicht gerüttelt werden sollte: 1. Der Ausdruck ist eine medizinische Metapher. 2. Er bezeichnet die *Wirkung*, nicht den *Zweck* der Tragödie denn als diesen nennt Aristoteles wiederholt und unzweideutig (c. 4, 2. 13, 6. 14, 2. 23, 1. 26, 8.) eine ihr eigentümliche *Lustempfindung*. Damit erledigt sich auch die Frage von selbst, ob dieses Endziel, von dem hier garnicht die Rede ist, ein *ethisch-moralisches* oder ein *aesthetisch-psychologisches* ist oder seinsoll. Was dagegen die kathartische *Wirkung* anbelangt, so dürfte Aristoteles beide Möglichkeiten anerkannt haben, im Gegensatz zu Platon, der bekanntlich die erstere zwar forderte, aber der bisherigen Tragödie wie dem Epos absprach und eine aesthetische überhaupt nicht berücksichtigte.

Kitharistik: c. 1, 2. Die Guitarre (Lyra) war das übliche Begleitinstrument des Nomos, der hier neben dem aulodischen Dithyrambus wohl nur zufällig nicht mit aufgezählt wird (S. c. 1, 2). Dennoch wird man wohl richtiger auch hier, wie bei der Auletik (s.d.) die reine Instrumentalmusik verstehen müssen

Klepsydra: S. Wasseruhr.

Kosmos: S. Beiwort, schmückendes.

Maschine: c. 15, 7. Gewöhnlich bezieht sich der Ausdruck auf den bekannten deus ex machina, dessen Erscheinen durch die Theatermaschine auf der erhöhten, sogenannten Götterplattform (Theologeion) bewerkstelligt wird. Hier handelt es sich ausnahmsweise in dem einen Falle um den Drachenwagen der fliehenden Medea. In dem anderen der Ilias entnommenen Beispiel (s. Homer, Ilias) ist die Bezeichnung rein bildlich von jeder Göttererscheinung, die plötzlich wie hier Athene in die Handlung eingreift, gebraucht.

Metapher: c. 21, 4 definiert. 22, 2-7.

Mimesis (nachahmende Darstellung): c. 1, 2 u.ö. Das Wort "Nachahmung" erschöpft den Begriff dieses Kunstausdrucks nicht, denn er bezeichnet bei Aristoteles nicht lediglich die Nachbildung von Gegenständen in der Außenwelt, sondern vornehmlich die von Handlungen und handelnden Menschen, ist also eine geistige Versinnbildlichung menschlichen Tuns und Treibens. Es ist daher nicht richtig, wie man behauptet, daß die künstlerisch schaffende Phantasie in der "Dichtkunst" des Aristoteles unberücksichtigt geblieben ist. Auch die *lyrische* Poesie hat Aristoteles, schon laut Vorwort, von seiner Betrachtung nicht ausgeschaltet, aber sie kommt für ihn nur soweit in Betracht, als sie einen Mythos, eine Fabel oder eine Handlung enthält. Deren Erörterung ist uns aber, wie die über die Komödie, verloren gegangen.

Mitleid: c. 13, 2 definiert.

Nachahmende Darstellung: S. Mimesis.

Nichtlauter (Muta): c. 20, 1.

Nomos: c. 2, 3. Ursprünglich ein Chorlied im Apollokult. Seine mannigfache und interessante Entwicklungsgeschichte fand durch Timotheos (s.d.) ihren Abschluß, dessen erst in allerneuester Zeit wieder entdeckte "Perser" uns jetzt eine klare Vorstellung von dieser Dichtgattung, wenigstens für die Zeit des Aristoteles, geben. Es fehlt uns aber noch ein vollständiges Beispiel des zeitgenössischen Dithyrambus, um die Unterschiede zwischen beiden deutlicher zu erkennen. In der uns vorliegenden Poetik spielt der Nomos eine sehr untergeordnete Rolle, wohl weil er einen weniger dramatischen Charakter trug als der Dithyrambus.

Probleme: c. 25, 1—22 Die literarische, wie die Textkritik der Griechen entwickelte sich, und zwar schon ziemlich frühzeitig, an den homerischen Gedichten. Von Aristoteles selbst gab es eine Schrift "Homerische Fragen," die viel benutzt worden ist. In der Folgezeit, namentlich unter den Alexandrinern, ist die Suche nach Widersprüchen, sachlichen und textkritischen Schwierigkeiten in den homerischen Epen und dementsprechend die Auffindung von "Lösungen" fast sportmäßig betrieben worden. Der darauf verwandte Spürsinn wie die feine Beobachtungsgabe ist bewunderungswürdig und sie haben begreiflicherweise oft zu wertvollen Ergebnissen geführt. Andrerseits haben aber auch der Ehrgeiz durch Scharfsinn zu glänzen und ein Mangel an Verständnis für homerische Naivität zu sophistischen spitzfindigen und uns oft töricht oder komisch anmutenden Erklärungen Anlaß gegeben. In einer Anzahl von Fällen scheint man sogar das "Problem" nur irgend einer gelehrten oder geistreichen Lösung zu Liebe glatt erfunden zu haben. Für all dies gibt unser beispielreiches Kapitel Belege. Einige der hier erwähnten "Probleme und Lösungen" finden sich bei späteren Erklärern des Homer wieder, andere hat Aristoteles früheren Quellen entnommen. Wie viele aber sein geistiges Eigentum sind, läßt sich nicht mehr feststellen, da man ihm nicht ohne weiteres nur die annehmbaren Lösungen zuschreiben darf.

25-8. "*Aber die Lanzen* usw." Man meinte, daß bei der geschilderten Aufstellung der Lanzen diese leicht umfallen, andere mit sich ziehen und so die Nachtruhe des Lagers stören könnten. Die vorgeschlagene Erklärung entlastet den Dichter, löst aber die angebliche Schwierigkeit nicht.

25-10. "*Die Mäuler zuerst.*" Man stieß sich daran, daß bei der von Apollo gesandten Seuche die "Mäuler" *vor* den schuldigen Menschen dahingerafft wurden. Die gegebene Lösung ist hinfällig, denn, selbst wenn das Wort "Wächter" bedeuten könnte—es kommt nur noch einmal in einem Verse der Ilias vor,—so trifft sie doch auf das folgende "*und die hurtigen Hunde*," das demselben Bedenken unterworfen ist, nicht zu.

25-10. "*Der von Gestalt zwar häßlich.*" Das "Problem" ist gar nicht vorhanden und ist wohl nur erfunden, um die bei den Haaren herbeigezogene, gelehrte Notiz an den Mann zu bringen. Denn gerade die merkwürdige Verbindung eines unebenmäßigen Körpers mit Schnelligkeit der Füße wollte der Dichter hervorheben, wie die Partikeln "men—alla" (zwar—jedoch) beweisen. Die hier vorgeschlagene Lösung ergibt überdies gar keinen verständlichen Gegensatz (Häßlich zwar von Angesicht, jedoch schnellfüßig).

25-10. *"Mische reineren Wein:"* Den Anstoß, den man daran nahm, gibt Aristoteles im Text an. Die Lösung beruht auf der ganz willkürlichen Annahme, daß zōrós im Griechischen auch die Bedeutung "schnell" hat. Das angeblich ethisch "Unpassende" (aprepés) gab auch später sehr häufig Anlaß zu gewaltsamen Textänderungen und Deutungen.

25-11. *"Alle"* im Sinne von "Viele." Aristoteles muß in seinem Homertexte "alle," nicht "andere," was sämtliche Hss, auch des Homer, bieten, gelesen haben, denn sonst wäre die gegebene Lösung gegenstandslos. Unter dieser Voraussetzung ist sie aber annehmbar, wird doch gerade das Wort "alle" auch in anderen Sprachen besonders häufig hyperbolisch gebraucht.

25-11. *"Allein nicht teilnimmt."* Die astronomische Unrichtigkeit daß das Bärengestirn *allein* unter den am Pol befindlichen Sternbildern nicht untergehe, hat die Kritiker viel beschäftigt. Die hier gegebene Lösung findet sich aber sonst nicht. Sie beruht auf der Anschauung der Allwissenheit des Homer, die später namentlich von den Stoikern zum Prinzip erhoben wurde. Aristoteles hätte hier ruhig dieselbe Entschuldigung gelten lassen können, die er für Pindar, der der Hindin Hörner gab (c. 25, 5), anführt.

25-12."*Wir gewähren ihm:*" Dieses und das folgende Problem wie seine Lösung—das erstere wird von Aristoteles noch einmal in einer linderen Schrift ausführlich besprochen, aber ohne Hippias von Thasos zu nennen— haben die Tatsache zur Voraussetzung daß Akzente und Handweichen erst etwa um die Wende des 3. Jahrh. v. Chr. gesetzt wurden. Je nachdem der Akzent bei dem Wort *didomen* auf die erste oder zweite Silbe fällt, kann es "wir gewähren" oder "gewähre!" bedeuten. Hippias nahm das erstere an, nach dem Grundsatz des "Unpassenden" (s.o.), um so die Schuld dem Agamemnon ein trügerisches Versprechen gegeben zu haben von dem höchsten Gott auf den jenem gesandten Traumgott abzuwälzen. Die spitzfindige Lösung befriedigte scheinbar selbst die alten Kritiker nicht und so griffen sie zu dem Gewaltmittel den anstößigen Halbvers, der jetzt an einer weit späteren Stelle steht, durch einen anderen zu ersetzen, und dieser ist uns daselbst ohne Variante allein überliefert. Hippias und Aristoteles können ihn aber noch nicht gekannt haben.

25-12. *"Das zum Teil"*: Je nachdem das starke Hauchzeichen gesetzt wird oder nicht, bedeutet *ou* entweder "dessen" (hu) oder "nicht" (u). Dem Sinne nach ist nur das letztere überhaupt möglich und so schreiben alle unsere Homer hss und die alten Erklärer ignorieren das gar nicht vorhandene Problem völlig. Hippias scheint es nur der Lösung halber aufgeworfen zu haben.

25-13. *"gemischt was lauter zuvor."* Der fast völlige Mangel jeglicher Interpunktionszeichen in der in großen Buchstaben abgefaßten Schrift war zumal bei der freien Wortstellung im Griechischen eine beständige Quelle von Mißverständnissen. Aristoteles sagt selbst einmal, daß es schwierig sei, die Sätze des Herakleitos sinngemäß zu interpungieren. In unserem Falle kann man im Griechischen das *zuvor* ebenso gut mit *gemischt* als mit *lauter* verbinden. Aus der vollständigeren, anderweitig überlieferten Stelle ergibt sich aber, daß nur das erstere dem Zusammenhang entspricht.

25-14. *"der größere Teil"*. Man glaubte einen argen Widerspruch in der angeblichen Behauptung zu finden, daß wenn zwei Drittel der Nacht verstrichen seien, der größere Teil noch übrig bleiben könne. Ein alter Erklärer nennt dies ein *"überaus abgedroschenes Problem"*, das viele zu lösen versuchten, darunter auch Aristoteles (nämlich in den *"Homerischen Fragen"*). Das Problem existiert aber gar nicht, wenn man sich die a.a.O. zitierte Stelle genau ansieht, womit sich auch dessen Lösungen erübrigen.

25-15. Die drei auf Grund des Sprachgebrauchs entschuldigten Ungenauigkeiten beruhen auf einer *Metonymie*, wie der technische Ausdruck lautet. Wie Ganymed als *"Weinschenk"* der Götter bezeichnet wird, obwohl diese keinen Wein, sondern Nektar trinken, so wird in noch auffälligerer Weise Hebe geradezu *Weinschenkin des Nektar* (Ilias 4, 3) genannt, was für unsere Stelle ein noch besseres Beispiel abgegeben hätte. Vergleichen kann man auch Tac. Germ. 22, wo von den biertrunkenen Germanen *vinolenti* gebraucht wird.

Daß die Beinschiene nicht nur aus dem weichen Zinn, sondern aus einer Metallmischung verfertigt wurde, schloß Aristoteles vermutlich daraus, daß in der betreuenden Iliasstelle die Beinschiene des Achilles vom Wurfspieß Agenors getroffen nur mächtig erdröhnte ohne durchbohrt zu werden.— Kupferschmied das ältere Wort, wurde noch beibehalten, als man schon längst das Eisen bearbeitete.

Vergleichen kann man die Bezeichnung des Centumviralgerichts in Rom, die bestehen blieb, als die Mitglieder weit über 100 zählten. Ähnlich verhielt es sich mit den germanischen *"Hundertschaften"*.

25-16. *"hielt die eherne Lanze an"*: Ein vielbehandeltes *"Problem"*. Der berühmte alexandrinische Homerkritiker Aristarchos verwarf die ganze Stelle und war der Meinung, die Verse seien von jemandem nur um ein Problem zu schaffen interpoliert worden. Es handelt sich um die fünf Metallschichten des Achilles-Schildes, von denen die Lanze des Aineas zwei durchbohrt hatte und dann stecken blieb. Strittig war nun, ob die Goldlage in der Mitte oder, was das natürlichste war, an der Außenseite sich befand. Im ersteren Fall war die Stoßkraft des Speeres stärker gehemmt. Vermutlich stammt die in unserem Homertext allein überlieferte Lesart "eschen" statt "ehern" von einem Kritiker, der die weichere Goldschicht an die Außenseite setzte, womit die Schwierigkeit in der Tat so ziemlich beseitigt wurde.

Prolog: c. 5, 2. Dieser Prolog der primitiven Komödie ist in der uns allein bekannten aristophanischen nicht vorhanden, aber in der späteren mittleren und neuen, wie es scheint, wieder eingeführt worden. Wenn es nun heißt, der Urheber sei unbekannt so setzt dies im Zusammenhang voraus, daß das gleiche für den Tragödienprolog nicht gilt. Die Späteren nennen ihn Thespis. —Als ein quantitativer Bestandteil der Tragödie wird der Prolog c. 12, 1 definiert. Wieder ganz anderer Art war der euripideische, auf den nur zweimal (Supplices, Bacchae) die Parodos des Chors unmittelbar folgt.

Qualen, übermäßige: c. 11, 5. Falls nur körperliche gemeint sind, so wäre allein der sophokleische, uns erhaltene Philoktet zu nennen. Sonst kämen auch die Wahnsinnsausbrüche des Orestes im Orestes und in der taurischen Iphigeneia wie der Hercules Furens von Euripides in Betracht.

Satz (Wortgefüge): c. 20, 8.

Schauspieler, Zahl der: c. 4, 9. 5, 2. Sie betrug nie mehr als drei. Schon zur Zeit des Aristoteles waren die Schauspieler zu großem Ansehen und Einfluß gelangt und erhielten Preise in den dramatischen Wettkämpfen. Je nach der Bedeutung ihrer Rollen wurden sie als Protagonisten, Deuteragonisten und Tritagonisten bezeichnet. Bereits Sophokles soll in der Bearbeitung seiner Dramen berühmten Darstellern Rollen auf den Leib geschrieben haben.

Silbe: c. 20, 2.

Stasimon: c. 12, 1.

Substantivum: c. 20, 5.

Szenerie, gemalte: c. 4, 9. Spätere behaupteten, daß schon Agatharchos von Samos für Aischylos die Bühnenmalern eingeführt habe.

Tetrameter: c. 4, 9. Stets der trochäische. Siehe u. Trochäus.

Tötung auf der Bühne: c. 11, 5. Uns ist nur ein Beispiel, der Selbstmord des Aias, erhalten und ein alter Erklärer des sophokleischen Dramas bezeichnet dies als eine Seltenheit. Doch muß wohl Aristoteles zahlreichere Fälle vor Augen gehabt haben. Wenn Hor. Ars Poetica 185 vorschreibt, daß Medea ihre Kinder nicht vor den Augen des Publikums töten darf, so mag auch er eine derartige Tragödie gekannt haben, Senecas Medea scheidet als reines Lesedrama aus. Noch am nächsten kommt für uns der Todesschrei des gemordeten Agamemnon (Aischylos) und der Klytaimestra (Soph. Elektra).

Trimeter: c. 1, 5. Stets der jambische Trimeter.

Trochäeus: c. 12, 2. S. Anapaest.

Tragödie: c. 1. Wenn hier nicht Thepsis, der allen Späteren als der "Erfinder" der attischen Tragödie galt, sondern Aischylos als ihr Begründer erscheint, so beruht dies auf der richtigen Erwägung, daß in Wahrheit erst mit der Hinzufügung des zweiten Schauspielers eine im Dialog sich vollziehende Handlung ermöglicht wurde.

—, unglücklicher Ausgang der: c. 13, 4. Einschließlich der noch erkennbaren Ausgänge verlorener Tragödien gestaltet sich das Verhältnis der unglücklich verlaufenden zu den glücklich endenden bei Euripides wie 46:16,[100] bei Sophokles wie 43:24, was das berühmte Urteil über den ersteren kaum rechtfertigen würde. Ein solcher Schluß ist jedoch nicht zwingend, wenn man bedenkt, daß dem Aristoteles ein unendlich reichhaltigeres Beobachtungsmaterial zu Gebote stand als uns. Es sei aber bemerkt, daß die im Texte gegebene, auf der syrischen Übersetzung beruhende Fassung jene Behauptung immerhin etwas abschwächt, denn die bisherige Überlieferung lautete: "scheint Euripides der tragischste Dichter zu sein".

Verbum: c. 20, 6.

Verwundungen: c. 11, 5. Falls es sich nicht auch hier, wie bei den Tötungen (s.d.), nur um Vorgänge auf der Bühne handelte, wofür es kein sicheres Beispiel gibt ("Der verwundete Odysseus?" s.d.), so wären hier allenfalls das Erscheinen des blinden Polyphem im Kyklops des Euripides und der selbstgeblendete Oidipus im Oid. Tyr. des Sophokles zu nennen. Aristoteles dürfte aber auch hier wieder, wie der Plural zeigt, zahlreichere Belege gekannt haben.

Vokal: S. Selbstlaut.

Wasseruhr (Klepsydra): c. 7, 3. In athenischen wie auch in römischen Gerichtsverhandlungen war den Rednern eine bestimmte Zeitdauer vorgeschrieben, die nach der Wasseruhr bemessen wurde. Zu demselben Zwecke verwandte man noch im Jahre 1786 in Venedig, wie Goethe berichtet, eine Sanduhr. Daß eine derartige Maßregel jemals bei einer szenischen Aufführung im Gebrauch gewesen sein sollte, entbehrt jeder inneren Wahrscheinlichkeit. Wenn man dies dennoch allgemein angenommen hat, so geschah dies lediglich auf Grund einer falschen, jetzt in der syrisch-arabischen Übersetzung aber richtig gestellten Lesart.

FUßNOTE:

[1] Eine kleine Probe der Bedeutung dieser Textesquelle gibt mein Artikel im Philologus LXXVI (1920) S. 239—265.

[2] Ein erneuter Versuch, die von Aristoteles selbst nicht aufgezählten zwölf Lösungen unter die fünf Probleme zu verteilen.

[3] Poet. 7, 2, 1: Aristoteles, Imperator noster, omnium artium dictator perpetuus.

[4] Von Heinrich VIII. sehe ich aus bekannten Gründen ab.

[5] Vgl. Goethe: "Original, fahr hin in Deiner Pracht! Wie würde Dich die Einsicht kränken! Wer kann was Kluges, wer was Dummes denken, Das nicht schon tausende vor ihm gedacht?" Aber selbst dieser Gedanke ist—nicht originell! S. Ter. Eun. 41 nullumst iam dictum quod non sit dictum prius.

[6] Gr. Finsler, Piaton und die aristotelische Poetik, Lpz. 1900: "Wenn das wesentliche darin als Platonisches Gut erkannt ist, so läßt sich von einer Kunstlehre des Aristoteles nicht mehr im Sinne einer durchaus ihm eigentümlichen Theorie sprechen."

"Seine Poetik ist der Abglanz eines größeren Gestirns und hat ihre Herrschaft durch die Jahrhunderte nur darum ausüben können, weil ihre systematische Zusammenfassung mehr Eindruck macht als die zerstreuten Lichter in den platonischen Dialogen" u. ähnl. passim.

[7] c. 3, 3-4. 8, 1. 13, 4-5. 18, 2. 22, 4. 25, 16.

[8] Hier ist die in der Politik (8, 7) versprochene, genauere Erklärung der Katharsis ausgefallen.

[9] Sprachlicher Ausdruck und musikalische Komposition

[10] Szenische Ausstattung.

[11] Fabel, Charakter, Gedanken.

[12] S. unter Wasseruhr.

[13] Odyss 19, 394—466, aber es ist dies hier nur eine episodische Einlage, die einen bestimmten künstlerischen Zweck verfolgt.

[14] S. Namenverzeichnis unter Kypria.

[15] Soph. Oed. Tyr. 1002 ff.

[16] Eur. Medea 1225 ff.

[17] Soph. Antig. 1281 ff.

[18] Eur. Iphig. Aulid. 1213 ff. und 1368 ff.

[19] Eur. Medea 1310 ff.

[20] Homer Ilias 2, 155 ff.

[21] Vgl. Oed. Tyr. 103 ff. Vgl. c. 24, 9.

[22] Homer, Od. 19, 386-475.

[23] a.a.O. 21, 207—227.

[24] a.a.O. 19.

[25] Eurip. Iph. Taur. 566 ff. 747—785.

[26] a.a.O. 795—821. 796 "Was sagst Du? Hast Du einen Beweis dafür?"

[27] Homer, Odyss. 8, 521 ff. 9, I ff.27: Homer, Odyss. 8, 521 ff. 9, I ff.

[28] Aisch. Choeph. 168 ff.

[29] 1002 ff.

[30] Eur. Iph. Taur. 566 ff.

[31] Tauros (Krim).

[32] Artemis.

[33] Eur. Iphig. Taur. 20 ff.

[34] Orestes.

[35] Apollo.

[36] a.a.O. 77 ff. 912 ff. 952 ff.

[37] c. 16, 2.

[38] a.a.O. 274 ff.

[39] a.a.O. 1130 ff.

[40] Odysseus.

[41] Poseidon.

[42] Telemachos.

[43] Telemachos, Eumaios, der Sauhirt, Philoitios, der Rinderhirt, Eurykleia, die Amme des Odysseus.

[44] Ilias 1, 1.

[45] Die Stelle ist in allen Hss als zweite Definition des Bindeworts wörtlich wiederholt, wo sie aber in der syrisch-arabischen Übersetzung fehlt. Eine befriedigende Erklärung des Sinnes der beiden Definitionen ist bisher nicht erzielt worden.

[46] "Mensch (ist) ein auf dem Lande lebendes, zweifüßiges, vernunftbegabtes Wesen". So Aristoteles öfter, indem das Prädikat als Apposition gefaßt wird.

[47] Homer, Odyssee 1, 185. 24, 308.

[48] Homer, Ilias 2, 272.

[49] Empedokles, Fragm. 138. 143 D.

[50] Timotheos Fragm. 22 Wilam.

[51] Empedokles Fragm. 152 D.

[52] Unbekannter Herkunft. Vielleicht ebenfalls von Timotheos oder von Empedokles.

[53] Die Form ist zweifelhaft (ernygé, érnytes?) und sonst nicht nachweisbar.

[54] Hom. Ilias 1, 11. 94. 5, 78.

[55] Empedokles Fragm. 88 D.

[56] Homer, Ilias, 5, 393.

[57] Kleobulina Fragm. 2 Bgk. Es ist der Schröpfkopf gemeint.

[58] Vgl. das bekannte: In Weimar und Jena macht man Hexameter wie den da. Aber die Pentameter sind noch viel abscheulicher.

[59] bezeichnet die falsche Verlängerung.

[60] Dieser angebliche Vers ist nicht einwandfrei tiberliefert, doch ist der Sinn für die Sache belanglos.

[61] Hom. Odyss. 9, 515.

[62] Hom. Odyss. 20, 259.

[63] Hom. Ilias 17, 265.

[64] Nicht mehr nachweisbar. Ähnlich jedoch Eur. Hec. 665, Andr. 63 (dómōn, statt domátōn, apó).

[65] Sehr oft und nicht nur bei Tragikern.

[66] Ebenfalls häufig. Beide zusammen in Eur. Orest 1642. *pros sethen, ego nin.*

[67] Dieses Beispiel der Anastrophe ist nicht mehr nachzuweisen. Vermutlich später hinzugefügt oder nach dem ersten zu stellen. *perí* eigentlich = über, um.

[68] Homer, Ilias 2, 479—779.

[69] S. unter Ilias, die Kleine.

[70] Ilias 22, 198 ff.

[71] Ilias 22, 205: "Seinen Völkern winkte ab mit dem Haupte Achilles."

[72] Odyssee 19, 164—260. Vgl. 203: "Viele der Wahrheit ähnelnde Lügen erzählte Odysseus." Penelope schloß aus der Wahrheit von 220—248, daß nun auch, die Erzählung in 164—200 wahr sei, was nicht der Fall war.

[73] Soph. Oed. Tyr. 103 ff.

[74] Soph. Elekt. 681 ff.

[75] Telephos.

[76] Homer, Odyssee 18, 119 ff.

[77] Siehe Sachverzeichnis unter dem Worte.

[78] Siehe c. 24, 7.

[79] Pindar, Olymp. 3, 52, sowie andere Dichter und Künstler.

[80] Xenophanes Fragm. 34 D. "Und was nun die Wahrheit betrifft, so gab es und wird es Niemand geben, der sie wüßte in bezug auf die Götter."

[81] Homer Ilias 10, 152 f.

[82] Homer Ilias, 1, 50 "*Aber die Mäuler zuerst griff* er an und die eilenden Hunde."

[83] Ilias 10, 316. *Der—häßlich*, jedoch gar hurtigen Fußes.

[84] Ilias 9, 202.

[85] Ilias 10, 11—13 "*Siehe—Felde*" 12 staunte er ... 13 "*ob der Syringen und Pfeifen Getön und der Menge* der Menschen".

[86] Ilias 18, 489. Odyss. 5, 275: "*Es* (das Bärengestirn), *das allein nicht teilnimmt* am Bad in den Fluten des Meeres."

[87] Ilias, 2, 15. So im Homertext des Aristoteles, in unserem steht der Halbvers 21, 297, dort ein ganz anderer. S. Probleme.

[88] Ilias, 23, 328.

[89] Empedokles, Fragm. 35, 14 f, D. (I^3 240). 89: Empedokles, Fragm. 35, 14 f, D. (I^3 240).

[90] Ilias 10, 252f. Von—Teil. Zwei der Teile, jedoch der dritte Teil blieb noch übrig.

[91] Ilias 21, 592.

[92] Ilias 20, 234.

[93] Nach Ilias 6, 341.

[94] Ilias 20, 272, wo statt "ehern" "eschen" überliefert ist, S. unter "Probleme".

[95] Odyssee 4, 1—619.

[96] Eur. Medea 658.

[97] Vgl. c. 15.

[98] Ein Wortspiel, denn kalliás ist ein Wort für Affe und zugleich ein häufiger Eigenname.

[99] Allbekannte Namen, wie Athener, Argot, Alkibiades u.a. sind hier nicht aufgenommen, falls nicht ein besonderer Grund vorlag.

[100] Dabei habe ich die Alkestis, den Orestes und den Rhesos, sowie natürlich die Satyrdramen nicht mitgerechnet, auch nicht die zweifelhaften Fälle deren es eine kleine Anzahl gibt. Aischylos kommt wegen der trilogisohan Verknüpfung seiner Dramen hier kaum in Betracht.